Weihnachten
1994

Viel Spaß
beim Lesen!

Weihnachtsgeschichten aus Berlin

Herausgegeben
von
Gundel Paulsen

Husum

Umschlagbild:
Else Preussner, „Weihnachtsmarkt am Berliner Lustgarten"

Die Deutsche Bibliothek – CIP-Einheitsaufnahme

Weihnachtsgeschichten aus Berlin / hrsg. von Gundel Paulsen.
– 6. Aufl. – Husum : Husum Druck- und Verlagsges., 1993
(Husum-Taschenbuch)
ISBN 3-88042-139-0
NE: Paulsen, Gundel [Hrsg.]

6. Auflage 1993

Satz: Fotosatz Husum GmbH
Druck und Verarbeitung: Husum Druck- und Verlagsgesellschaft
Postfach 1480, D-25804 Husum
ISBN 3-88042-139-0

Weihnachtsmarkt

Gottfried Keller

Welch lustiger Wald um das hohe Schloß
hat sich zusammengefunden,
ein grünes, bewegliches Nadelgehölz,
von keiner Wurzel gebunden!

Anstatt der warmen Sonne scheint
das Rauschgold durch die Wipfel;
hier backt man Kuchen, dort brät man Wurst,
das Rüchlein zieht an die Gipfel.

Es ist ein fröhliches Leben im Wald,
das Volk erfüllet die Räume;
die nie mit Tränen ein Reis gepflanzt,
die fällen am frohesten die Bäume.

Der eine kauft ein bescheidnes Gewächs
zu überreichen Geschenken,
der andre einen gewaltigen Strauch,
drei Nüsse daran zu henken.

Dort feilscht um ein winziges Kieferlein
ein Weib mit scharfen Waffen;
der dünne Silberling soll zugleich
den Baum und die Früchte verschaffen.

Mit rosiger Nase schleppt der Lakai
die schwere Tanne von hinnen;
das Zöfchen trägt ein Leiterchen nach,
zu ersteigen die grünen Zinnen.

Und kommt die Nacht, so singt der Wald
und wiegt sich im Gaslichtscheine;
bang führt die ärmste Mutter ihr Kind
vorüber dem Zauberhaine.

Einst sah ich einen Weihnachtsbaum:
im düstern Bergesbanne
stand reifbezuckert auf dem Grat
die alte Wettertanne.

Und zwischen den Ästen waren schön
die Sterne aufgegangen;
am untersten Ast sah man entsetzt
die alte Wendel hangen.

Hell schien der Mond ihr ins Gesicht,
das festlich still verkläret;
weil auf der Welt sie nichts besaß,
hatt' sie sich selbst bescheret.

Weihnachtsabend

Ludwig Tieck

Man kann annehmen, daß, so sehr poetische Gemüter darüber klagen, wie in unserer Zeit alles Gedicht und Wundersame aus dem Leben verschwunden sei, dennoch in jeder Stadt, fast allenthalben auf dem Lande, Sitten und Gebräuche und Festlichkeiten sich finden, die an sich das sind, was man poetisch nennen kann, oder die gleichsam nur eine günstige Gelegenheit erwarten, um sich zum Dichterischen zu erheben. Das Auge, welches sie wahrnehmen soll, muß freilich ein unbefangenes sein, kein stumpfes und übersättigtes, welches Staunen, Blendung, oder ein Unerhörtes, die Sinne durch Pracht oder Seltsamkeit Verwirrendes mit dem Poetischen verwechselt . . .

Als ich ein Kind war, so erzählte Medling, ein geborner Berliner, war der Markt und die Ausstellung, wo die Eltern für die Kinder oder sonst Angehörigen, Spielzeug, Näschereien und Geschenke zum Weihnachtsfeste einkauften, eine Anstalt, deren ich mich immer noch in meinem Alter mit großer Freude erinnere. In dem Teile der Stadt, wo das Gewerbe am meisten vorherrschte, wo Kaufleute, Handwerker und Bürgerstand vorzüglich ein rasches Leben verbreiten, war in der Straße, welche von Kölln zum Schlosse führt, schon seit langer Zeit der Aufbau jener Buden gewöhnlich, die mit jenem glänzenden Tand als Markt für das Weihnachtsfest ausgeschmückt werden sollten. Diese hölzernen Gebäude setzten sich nach der langen Brücke, sowie gegenüber nach der sogenannten Stechbahn fort, als rasch entstehende, schnell vergehende Gassen. – Vierzehn Tage vor dem Feste begann der Aufbau, mit dem Neujahrstage war der Markt geschlossen, und die Woche vor der Weihnacht war eigentlich die Zeit, in welcher es auf diesem beschränkten Raum der Stadt am lebhaftesten herging, und das Gedränge am größten war. Selbst Regen und Schnee, schlechtes und unerfreuliches Wetter, auch strenge Kälte konnten die Jugend wie das Alter nicht vertreiben. Hatten sich aber frische und anmutige Wintertage um jene Zeit eingefunden, so war dieser Sammelplatz aller Stände und Alter das Fröhlichste, was der heitere Sinn nur sehen und genießen konnte, denn nirgend habe ich in Deutschland und Italien etwas Ähnliches wiedergefunden, was damals die Weihnachtszeit in Berlin verherrlichte.

Am schönsten war es, wenn kurz zuvor Schnee gefallen und bei mäßigem Frost und heiterm Wetter liegen geblieben war. Alsdann hatte sich das gewöhnliche Pflaster der Straße und des

Platzes durch die Tritte der unzähligen Wanderer gleichsam in einen marmornen Fußboden verwandelt. Um die Mittagsstunde wandelten dann wohl die vornehmern Stände behaglich auf und ab, schauten und kauften, luden den Bedienten, welche ihnen folgten, die Gaben auf, oder kamen auch nur wie in einem Saal zusammen, um sich zu besprechen und Neuigkeiten mitzuteilen. Am glänzendsten aber sind die Abendstunden, in welchen diese breite Straße von vielen tausend Lichtern aus den Buden von beiden Seiten erleuchtet wird, daß fast eine Tageshelle sich verbreitet, die nur hie und da durch das Gedränge der Menschen sich scheinbar verdunkelt. Alle Stände wogen fröhlich und lautschwatzend durcheinander. Hier trägt ein bejahrter Bürgersmann sein Kind auf dem Arm, und zeigt und erklärt dem laut jubelnden Knaben alle Herrlichkeiten. Eine Mutter erhebt dort die kleine Tochter, daß sie sich in der Nähe die leuchtenden Puppen, deren Hände und Gesicht von Wachs die Natur anmutig nachahmen, näher betrachten könne. Ein Kavalier führt die geschmückte Dame, der Geschäftsmann läßt sich gern von dem Getöse und Gewirr betäuben, und vergißt seiner Akten, ja selbst der jüngere und ältere Bettler erfreut sich dieser öffentlichen, allen zugänglichen Maskerade, und sieht ohne Neid die ausgelegten Schätze und die Freude und Lust der Kinder, von denen auch die geringsten die Hoffnung haben, daß irgend etwas für sie aus der vollen Schatzkammer in die kleine Stube getragen werde. So wandeln denn Tausende scherzend mit Plänen zu kaufen, erzählend, lachend, schreiend den süßduftenden mannigfaltigen Zucker- und Marzipangebäcken vorüber, wo Früchte, in reizender Nachahmung, Figuren aller Art, Tiere und Menschen, alles in hellen Farben strahlend, die Lüsternen anlacht: Hier ist eine Ausstellung wahrhaft täuschenden Obstes, Aprikosen, Pfirsichen, Kirschen, Birnen und Äpfel, alles aus Wachs künstlich geformt; dort klappert, läutet und schellt in einer großen Bude tausendfaches Spielzeug aus Holz in allen Größen gebildet, Männer und Frauen, Hanswürste und Priester, Könige und Bettler, Schlitten und Kutschen, Mädchen, Frauen, Nonnen, Pferde mit Klingeln, ganzer Hausrat, oder Jäger mit Hirschen und Hunden, was der Gedanke nur spielend ersinnt, ist hier ausgestellt, und die Kinder, Wärterinnen und Eltern werden angerufen, zu wählen und zu kaufen. Jenseits erglänzt ein überfüllter Laden mit blankem Zinn (denn damals was es noch gebräuchlich, Teller und Schüsseln von diesem Metall zu gebrauchen), aber neben den polierten und spiegelnden Geräten, blinkt und leuchtet in Rot und Grün, und Gold und Blau, eine Unzahl regelmäßig aufgestellter Soldatesken, Engländer, Preußen und Kroaten, Panduren und Türken, prächtig gekleidete Paschas auf geschmückten Rossen, auch geharnischte Ritter und Bauern und Wald im Frühlingsglanz, Jäger, Hirsche und Bären und Hunde in der Wildnis. Wurde man schon auf eigene, nicht unangenehme Weise betäubt, von all dem Wirrsal des Spielzeuges, der Lichter und der vielfach schwatzenden Menge, so erhöhten dies noch durch Geschrei jene umwandelnden Verkäufer, die sich an keinen festen Platz binden mochten, diese drängen sich durch die dicksten Haufen, und schreien, lärmen, lachen und pfeifen, indem es ihnen weit mehr um diese Lust zu tun ist, als Geld zu lösen. Junge Burschen sind es, die unermüdet ein Viereck von Pappe umschwingen, welches an einem Stecken mit Pferdehaar befestigt, ein seltsam lautes Brummen hervorbringt, wozu die Schelme laut: „Waldteufel kauft!" schreien. Nun fährt eine große Kutsche mit vielen Bedienten langsam vorüber. Es sind die jungen Prinzen und Prinzessinnen des Königlichen Hauses, welche auch an der Kinderfreude des Volkes teilnehmen wollen. Nun freut der Bürger sich doppelt, auch die Kinder seines Herrschers so nahe zu sehen: alles drängt sich mit neuem Eifer um den stillstehenden Wagen.

Jedes Fest und jede Einrichtung, so beschloß Medling seinen Bericht, wächst mit den Jahren, und erreicht einen Punkt der Vollendung, von welchem es dann schnell, oder unvermerkt wieder hinab sinkt. Das ist das Schicksal alles Menschlichen im Großen wie im Kleinen. Soviel ich nach den Erinnerungen meiner Jugend und Kindheit urteilen darf, war diese Volksfeierlichkeit von den Jahren 1780 bis etwa 1793 in ihrem Aufsteigen und in der Vollkommenheit. Schon in den letzten Jahren richteten sich in nähern oder entfernteren Straßen Läden ein, die die teuern und gleichsam vornehmeren Spielzeuge zur Schau ausstellten. Zukkerbäcker errichteten in ihren Häusern anlockende Säle, in welchen man Landschaften aus Zuckerteig oder Dekorationen, später ganz lebensgroße mythologische Figuren wie in Marmor ausgehauen, aus Zucker gebacken sah. Ein prahlendes Bewußtsein, ein vornehmtuendes Überbieten in anmaßlichen Kunstproduktionen zerstörte jene kindliche und kindische Unbefangenheit, auch mußte Schwelgerei an die Stelle der Heiterkeit und des Scherzes treten. Doch ist mit allen diesen neuern Mängeln, so endigte unser Freund seinen Bericht, diese Christzeit in Berlin, vergleicht man das Leben dieser fröhlichen und für Kinder so ahndungsreichen Tage, mit allen andern Städten, immer noch eine klassische zu nennen, wenn man das Klassische als den Ausdruck des Höchsten und Besten in jeglicher Art gebrauchen will.

Der Weihnachtsmarkt

Julius Stinde

Zu den vielen ausgesuchtesten Rätseln der Natur gehören, wie man so um Michaelis herum jedesmal in den Zeitungen liest, die Wandervögel, welche schon lange vor der Erfindung des Kompasses schnurgerade nach den fremden Ländern fliegen, und bei den Schwalben trifft es ja auch auf Datum und Stunde zu. Unerklärlich ist mir allerdings, daß sie sämtlich auf einmal abziehen, aber warum sie sich überhaupt aufmachen, das kann einem einigermaßen anschlägigen Kopfe keineswegs unergründlich sein: ... sie gehen der Annehmlichkeit nach, da der Mensch sich genau ebenso verhält. Im Frühling, sobald der erste wärmende Sonntag lockt, wandert er in die Umgebung, am Karfreitag muß er nach dem Spandauer Bock, Pfingsten wandert er in den Grunewald, ein andermal wandert er nach Stralau oder Treptow, und sobald das Eis hält, ist die Rousseau-Insel im Tiergarten sein Wanderziel. Das liegt ihm so von klein auf in den Geh-Organen. Kommt nun aber die Weihnachtszeit, dann halten ihn keine vier Pferde, dann zieht es ihn mit unerklärlicher Gewalt nach dem Weihnachtsmarkt. Genau ebenso kann man es sich mit den Wandervögeln denken, obgleich der Weihnachtsmarkt nicht ausschließliche Annehmlichkeiten bietet, zumal wenn ein Tauwetter dazwischenfährt und man einen Rand am Zeuge mitbringt, als wäre man von höherer Gewalt durch den Glitsch gezogen.

Wir hatten uns diesmal gemeinschaftlich mit Doktors, Onkel Fritz und Krauses verabredet, obgleich Doktoren wegen ihrer Praxis ziemlich unsichere Kantonisten sind, aber wir taten es hauptsächlich um Krauses willen, die der Aufheiterung bedurften, denn ihr Eduard hat ihnen zuviel Verdruß bereitet. Kann es auch wohl etwas Bitterlicheres geben, als wenn der Vater, der doch selbst Lehrer ist, seinen eigenen Jungen zu einem anderen Kollegen schicken muß, damit er bei dem seine Schularbeiten macht, was Eduard zu Hause nicht einfiel? I bewahre! Anstatt Lateinisch zu lernen, war er ausgerückt und hatte mit den Jungens Räuber und Soldat im Friedrichshain gespielt, oder war auf der Straße umhergestrolcht, und wenn er eingesperrt wurde, hatte er mit der Lampe gekokelt, daß es leicht hätte Brandstiftung geben können. Und wenn sie glaubten, daß er wirklich fleißig sei, weil er sich still und ruhig verhielt, dann hatte er einen heimlichen Robinson oder sonst ein Geschichtenbuch bei sich gehabt und seine Aufgaben bestanden aus Fehlern und Tintenklecksen.

Unbegreiflich war nur, daß die Mutter den Jungen immer noch in Schutz nahm. Wollte sie denn nicht sehen, daß er die ersten Kinderschuhe bereits ausgetreten hatte und kein Samtkittelchen und keine weißen Höschen mehr trug? „Es ist unrecht, das Kind mit so schweren Arbeiten zu quälen“, sagte sie, sogar wenn der Junge dabei war. Eduard brauchte nur gnauen, das Lateinische mache ihm Kopfweh, dann kajolierte sie ihn und sagte: „Papa wird dir einen Entschuldigungszettel schreiben, daß dir nicht ganz gut war, mein Engel“, worauf Edechen in den Wiegestuhl kroch und sich schunkelte, um die Zeit doch nur irgend womit zu vertreiben. Herr Krause durfte natürlich keine Einwendungen machen, denn sie hatte sofort die Überbürdung der Schuljugend auf dem Tapet und er mußte schweigen wie ein schlecht geputzter Rekrut. Solche Jammerbolle von Mann! . . .

Etwas Zerstreuung und Erheiterung war Krauses daher mehr als paßlich und eine Weihnachtswanderung ihnen sehr willkommen. Wir erwarteten sie zu um Sechsen bei uns, wie verabredet worden war, aber sie kamen erst um halb sieben. Die Krausen entschuldigte sich damit, sie hätte bemerkt, daß ihr japanisches Tablett weg wäre und das hätte sie erst gesucht, ohne es jedoch finden zu können. Ich sagte, so etwas verkröche sich manchmal, oder verstäche sich hinter ein Möbel, es würde sich schon morgen oder sonst gelegentlich wieder angeben. Es fand sich auch an, aber anders als wir gedacht hatten und, wie ich sagen muß, in niederschmetternder Weise. Doch alles zu seiner Zeit. –

Wir zögerten nun nicht lange, als wir komplett waren, und wanderten dem Schloßplatz zu, denn da ist doch der Hauptmarkt, indessen wir kamen nur langsam vorwärts, teils wegen der Menschenmenge auf der Straße, teils wegen der Läden, die betrachtet werden sollten. Einer machte den anderen auf das aufmerksam, was ihm am besten gefiel. – „Nein, sieh bloß dies hier!“ – „Oh, das möchte ich haben.“ – „Seht doch nur, wie prachtvoll!“ – Und so ging es in einer Tour. Mancher Laden überbot sich auch wirklich selbst. In einem hatten sie sogar eine stilvolle Burg aus lauter Pfefferkuchen aufgebaut, mit gleichfalls stilvollen Pflaumenmännern als Ritter.

Und nun erst die Stoff- und Porzellangeschäfte, die Bronzeläden und Seidenwarenhandlungen: alle miteinander hatten sich geputzt, indem sie das Feinste zum Vorschein brachten. Es ist alles prunkhaft um diese Zeit, als wenn Illumination wäre, sämtliche Gasflammen und Lampen, die nur brennen können, haben sie im Gange, und was irgend glitzert und blänkert, liegt in den Schaufenstern aus: man kann eben nicht vorbeikommen. Da wird immer so viel von den Schätzen des Orients geredet und von den Bazaren, die sie dort haben. Was will das sagen? Vor Weihnachten ist das ganze Berlin mit seinen stundenlangen, gasstrahlenden Straßen ein einziger, ungeheuerer Bazar.

Zwischen all dieser neuen Pracht liegt der Weihnachtsmarkt, wie die gute alte Zeit. So war es damals, als meine Eltern mich das erstemal mitnahmen, und so ist es geblieben bis auf den heutigen Tag. Das sind dieselben schmalen, langen Budenreihen, dieselben Spielsachen liegen aus, die Verkäufer haben ebenso rotgefrorene Nasen und ebensolche warme Kappen auf, wie damals und die Kinder mit den Dreierschäfken, den Sägemännern, Waldteufeln, Hampelmännern und womit sie sonst ihr kleines Handelsgeschäftchen betreiben, haben noch ebensolche dünne Stimmen wie damals. Und wie balsamisch duften die dunklen Tannenbäume, von denen ganze Wälder umherstehen, dazu die maigrünen Pergamiten, aufgeputzt mit buntem Flitter und besteckt mit Lichtern. Und wie anheimelnd riecht es nach frischen Pfannkuchen und Schmalzgebackenem! Und die vielen Menschen, groß und klein ergötzen sich, als hätten sie solche Herrlichkeiten nie zuvor gesehen, und bewundern aufs Neue, was sie eigentlich doch schon kennen sollten. Die Spaßvögel kommen noch immer aus demselben Neste, sie sind rot und gelb und grün gemalt, mit einer Feder auf dem Kopf, und wenn an der Strippe gezogen wird, klappen sie ebenso zusammen wie in all den Jahren. Dazu wird immer noch gerufen: Vorne nickt er, hinten pickt er, nur einen Groschen der schöne Spaßvogel. Kaufen Sie, Madameken, es ist der letzte! Das klingt so vertraut, wie aus der fernen Jungendzeit. – Mein alter lieber Weihnachtsmarkt. –

Was von jeher einen unbeschreiblichen Eindruck auf mich machte, das ist das ernste, schweigende Königsschloß, welches wie ein Riese die Zwerggezelte des Marktes überragt. Da summt es von Menschengewirr, da schimmert es rötlich von tausenden Lichtlein um das stille, dunkle Schloß herum, als wenn die kribbelnde, wibbelnde Gegenwart keinen geschützteren Platz finden könnte als bei der unverrückbaren Vergangenheit. – . . .

Wir waren jedoch auf den Markt gezogen, um nützliche Sachen einzukaufen. Die Handelsleute wollen ihre Ware absetzen, deshalb kommen sie von nah und fern, und gerade für den Hausstand wird Brauchbares in großer Auswahl feilgeboten . . . Wir verteilten uns daher und gingen an das Geschäftliche.

Derweile ich und Emmi eine Reibesatte einhandelten, die ihr so notgedrungen fehlt und die das Erbspüree, an dem der Doktor sich so gern Donnerstags mit Eisbein labt, doch bedeutend erleichtert, ging Onkel Fritz an eine Bude und kaufte Honigkuchen mit Inschriften ein, um sie uns zu verehren, aber er hätte es lieber unterlassen sollen, denn auf meinem stand: ‚Olle, brumme nicht!' und auf Emmi ihrem: ‚Ewig will ich an dir kleben, Klacks!' Der Doktor steckte den ihm gespendeten errötend in den Paletot. „Fritz", sagte ich mit einem Anhauch von Mißmut, „ich kann nicht behaupten, daß mir diese Zuckerguß-Poesie behagt." – „Dann kratze sie ab", erwiderte er, „und lasse dir einen frischen Vers von Leuenfels daraufdichten. Dem Kuchen schadet das nicht." – Er ist eben unverbesserlich.

Nun wollten wir noch nach der Breitenstraße und Rudolph Hertzogs Auslage betrachten, einmal weil sie das Glanzvollste ist, was man beaugenscheinen kann, und zweitens, weil mein Karl einzelne Phantasie-Artikel für dies immense Geschäft lieferte, die er extrafein weben läßt; aber so gut der Gedanke war, das Hinkommen hatte seine Schwierigkeit, denn solche Drängelbergerei wie an der Ecke vom Schloßplatz und der Breitenstraße gibt es nirgends. Aber wir kamen durch, weil der Berliner bei derartigem Festgedränge stets zur rechten Seite geht und nur der Fremdling gegen den Strom will, bis ihm einer zuruft: ‚Sie da, mit's Jesichte halten Sie sich rechts, sonst werden Ihnen die Plätteisen abjetreten!' Das hilft dann prompt.

Als wir frei aufatmen konnten und uns in unzerdrücktem Zustande wieder vorfanden, mußten wir eine lange Reihe von kleinen Verkäufern passieren. „Hier wird gekauft", sagte Onkel Fritz, „ich gebrauche allerlei und Ihr werdet auch gewiß in Euerer Nachbarschaft Leute kennen, die wohl Kinder, aber sonst nichts übrig haben. Denkt nur nach." – Und merkwürdig, jeder von uns konnte sich besinnen. Wie das Geschäft blühte, als wir alle miteinander in die Portemonnaies griffen, das war vergnüglich. Onkel Fritz ramschte gleich ganze Reste und ein Junge schrie: ‚Hurra, reeller Ausverkauf; wird meine Mutter aberscht kieken!' – Und fort rannte er. – Für die paar Nickel solche Freude!

Aber noch ein Junge rannte fort und die Krausen stand da, mit einem japanesischen Tablett in der Hand, sprachlos und entsetzt, wie eine versteinerte Salzstange. Herr Krause rannte ebenfalls davon, hinter dem Ausreißer drein. „Liebe!" rief ich, „was ist Ihnen, was bedeutet das?" – „Unser Tablett", stöhnte sie. „O Eduard!" – Sie wankte. Onkel Fritz sprang ihr bei und gab ihr seinen Arm, indem er sagte: „Kommen Sie nur zu sich und nehmen Sie die Sache von der heiteren Seite." Das tat sie aber nicht, sondern zog das Taschentuch und machte eine hysterische Szene.

Mittlerweile erschien Herr Krause wieder. „Er ist entwischt", rief er zornig. – „Wer?" fragte ich. – „Eduard", stieß er hervor, „der Junge! Zigarren hat er mir ausgeführt und verkauft sie hier auf dem Weihnachtsmarkt. Auch das Tablett hat er genommen, Löcher hineingebohrt. . . Schnur durchgezogen. . . sich umgehängt. Steht hier mitten zwischen den armen Kindern. Wie ich ihn erblicke und glaube, ich fasse ihn schon. . . er den Kopf aus der Schlinge gezogen und fort. Die Polizei soll ihn verhaften." – „Wie kannst du so unmenschlich sein?" fing nun die Krausen an, „komm, laß uns nach Hause gehen, er wird sich gewiß ängstigen." – „Nein", sagte Herr Krause, „ich bleibe, ich würde zu strenge mit ihm ins Gericht gehen. Morgen früh soll er seinen Lohn haben." – „Du wirst ihn doch nicht schlagen?" jammerte die Krausen. – „Ich werde ihm verkünden", erwiderte Herr Krause weicher, „daß er jeden Tag eine Strafarbeit zu liefern hat und", fügte er mit wehmutsverquollener Stimme hinzu, „daß er nichts zu Weihnachten bekommt." – „Aber doch einen Baum?" schrie sie. – „Keinen Baum", seufzte Herr Krause.

„Wenn das Wort 'ne Brücke wäre, ich ginge nicht darüber", flüsterte mein Karl mir zu. – „In drei Tagen ist alles vergessen", antwortete ich, „er müßte meiner Meinung nach den Bengel so verbimsen, daß nur noch die Knopflöcher von seiner Jacke zu gebrauchen wären, sonst wird aus dem nie etwas Vernünftiges." – Ich bin prinzipiell gegen jegliche Prügelstrafe, weil sie unaufgeklärt und inhuman ist, aber Keile muß sein. –

Für die Besichtigung der übrigen Weihnachtsherrlichkeiten, die aus den Fenstern der Läden leuchteten, war kein rechtes Interesse nach diesem Ereignis mehr vorhanden, und so folgten wir denn Onkel Fritz, der uns Revanchierens halber nach Dressel eingeladen hatte, da er in seiner eigenen Wohnung nicht auf Gegenseitigkeitsgesellschaften eingerichtet ist.

Wir hätten sehr amüsant zusammen sein können, wenn Krauses nicht in zu großer Zerknirschung gewesen wären: er mit den Zornfalten vor dem Kopf und sie mit dem verruinierten Tablett und ziemlich verweint. Onkel Fritz hatte mit Dresseln ein opulentes Abendbrot mit verschiedenen Seltenheiten abgekartet, die sich in die einfache bürgerliche Küche nicht hineinverirren. Er kann es ja, da sein Geschäft flotter geht, als zu irgendeiner Zeit und er von Hause aus spendabel veranlagt ist. . . .

Onkel Fritz konnte deshalb nicht umhin, auszurufen: „Herr Jott, sind wir vergnügt und haben es gar nicht nötig." –

Zum Schluß stießen wir darauf an, im nächsten Jahre wieder eine Weihnachtswanderung zu unternehmen . . .

Weihnachtsschwarzmarkt in Berlin

Erich Kästner

Es ist so kalt, daß den Berlinern die Tränen kommen. Auf den Perrons der Stadtbahnhöfe treten die Wartenden hastig in den Windschatten der Zeitungskioske. Zwölf Grad unter Null sind kein Spaß. Der Sturm fegt eisig um die Ecken. Er pfeift durch hunderttausend leere Fensterhöhlen. Es klappert und klirrt und scheppert. Das ist die atonale, die hochmoderne Ruinenmusik. Auch wer zu Hause, bei Stromsperre, hinterm kalten Ofen sitzt, kann mithören. Die Übertragung ist vorzüglich. Das Konzert ist gratis. Es kostet nur Nerven. Alles, was Zähne hat, darf mitklappern.

Auf dem Weihnachtsmarkt am Lustgarten, wo's bei der bösen Kälte gewiß recht einsam und leer sein wird, gehen heute, das weiß ich, mindestens fünfundzwanzig fröstelnde Männer und Frauen spazieren. Nicht aus weihnachtlichem Übermut, bewahre. Es sind die vom Preisamt Berlin-Mitte ausgesandten ehrenamtlichen Prüfer und Prüferinnen, die nach Preisverstößen fahnden. Den Karusselbesitzern ist man schon auf der Spur. Es ist festgestellt worden, daß „die Preise für das Karussellfahren (50 Pfennig mindestens) viel zu hoch sind; dabei werden für diese hohen Preise nur vielleicht drei Runden zurückgelegt, gegenüber acht bis elf Runden in früheren Zeiten, in denen höchstens 20 Pfennig für eine solche Fahrt verlangt wurden".

Das ist schlimm. Nicht so sehr für die Berliner Kinder. Denn wenn's so kalt bleibt, werden die Eltern mit ihnen sowieso nicht bis zum Lustgarten, dem Tummelplatz des Preisamts Mitte, wandern. Sondern für die Karussellbesitzer selber. Bei so hohen Preisen und so wenig Runden pro Person und Fahrt büßen sie ja doch, falls niemand kommt, viel mehr Geld ein, als sie schicklicherweise, wie in früheren Zeiten, für zwanzig Pfennig acht bis elf Runden lieferten. Das haben sie nun davon.

Wenn's nicht so kalt wäre, hätte ich nicht übel Lust, den Weihnachtsmarkt zu besuchen, um den fünfundzwanzig ehrenamtlichen Prüfern und Prüferinnen zuzuschauen, wie sie, ernsten Auges, mit roten Nasen, Teufelsrad fahren und – die Sache will's – in den Luftschaukeln grimmig dahinschweben und die Runden zählen. „Der Gewerbe-Außendienst führt außerdem eine Sonderkontrolle auf dem Weihnachtsmarkt durch", berichten die Zeitungen. Die Sonderkontrolleure vom Gewerbe-Außendienst reiten also, zur Drehorgelmusik, auf Hirschen und Tigern und kritzeln hierbei die Preisverstöße ins verbeulte Notizbuch- . . . welch ein Beispiel schöner und äußerster Pflichterfüllung!

Rupprecht ante portas. Weihnachten steht vor der Tür, durch deren Ritzen der Winter die Kälte und die Not in die Wohnungen fädelt. Weihnachten steht vor der Tür. – Sollen wir's wirklich hereinbitten? An den Ofen ohne Kohle, unter die Lampe ohne Licht, an den Tisch ohne Gaben? Nun, der Mensch bedenkt sich, wie man weiß, nicht lange. Im Bösen nie. Und zuweilen nicht einmal im Guten. Er geht zur Tür, vor welcher Weihnachten steht, öffnet sie weit und ruft unter Tränen lächelnd: „Herein. Wir freuen uns, daß Sie gekommen sind. Und noch dazu so pünktlich."

Man will und wird Weihnachten feiern. Trotz allem. Mit zusammengebissenen Zähnen, ohne Rücksicht auf Verluste. Man wird einander beschenken. Auch wenn man nichts hat. Auch wenn es nichts gibt. Windschiefe Puppen kann man kaufen. Sie sind aus alten Soldatenmänteln und Strumpfresten zusammengeschustert, nein geschneidert. Parfüm steht in den Schaufenstern, bunt, in hübschen Flakons. Zu häßlichen Preisen. Reizende Lampenschirme locken das Auge. Glühbirnen, Schnur und Stekker sind allerdings nicht dabei. Aber waren wir nicht früher schon der Meinung, daß praktische Geschenke nicht halb so viel Vergnügen machen? Drum auf, Freunde, beglückt einander mit handgemalten Stehlampen ohne Birnen. Da habt ihr endlich einmal was Unpraktisches. Oder wie wär's mit einer Nofretete aus echtem Gips? Ein findiger Mann hat die Schaufenster der Stadt mit der holden ägyptischen Königin förmlich überschwemmt. Wird sie sich nicht trefflich daheim ausnehmen? Wenn sie den dunklen Rätselblick durchs Fenster, an der wehenden Pappe vorbei, auf euer malerisches Trümmergegenüber richtet? Oder wollt ihr etwas noch Schöneres, noch Sinnigeres überreichen? In der Zeitung steht: „Dein geeignetes Weihnachtsgeschenk ist eine Groß- oder Klein-Lebensversicherung mit voller Auszahlung im Todes- und Erlebensfalle. Erhöhte Leistung bei Unfalltod." Wie wär's? Vielleicht in einer samtschwarzen Geschenkpackung? Ich wüßte auch eine passende Zeile drauf. Im Krieg kursierte der Reim: „Praktisch denken, Särge schenken." Das wäre doch eine geeignete Inschrift, nein?

Wem diese Musterkollektion entzückender Geschenke trotz allem nicht zusagen sollte, der muß ein paar Buden weitergehen. Vom Weihnachtsmarkt weg. Am Schwarzen Markt vorbei. Zum Schwarzen Weihnachtsmarkt hinüber. Ich weiß nicht genau, wo er liegt. Aber man braucht nur zu fragen. Die Berliner sind höflich. Und es kennt ihn ja jeder. Nur, tu Geld in deinen Beutel. Und wenn du kein Geld hast, womöglich nicht mal einen Beutel, dann schenk das letzte her, was dir geblieben ist: das letzte Lächeln, den letzten kräftigen Händedruck, das letzte gute Wort. Heraus damit. Weihnachten steht vor der Tür. Wir wollen ein Fest feiern, und ein Schelm gibt mehr, als er hat.

Groß-Stadt-Weihnachten

Kurt Tucholsky

Nun senkt sich wieder auf die heim'schen Fluren
die Weihenacht! die Weihenacht!
Was die Mamas bepackt nach Hause fuhren,
wir kriegens jetzo freundlich dargebracht.

Der Asphalt glitscht. Kann Emil das gebrauchen?
Die Braut kramt schämig in dem Portemonnaie.
Sie schenkt ihm, teils zum Schmuck und teils zum Rauchen,
den Aschenbecher aus Emalch glasé.

Das Christkind kommt! Wir jungen Leute lauschen
auf einen stillen heiligen Grammophon.
Das Christkind kommt und ist bereit zu tauschen
den Schlips, die Puppe und das Lexikohn.

Und sitzt der wackre Bürger bei den Seinen,
voll Karpfen, still im Stuhl, um halber zehn,
dann ist er mit sich selbst zufrieden und im reinen:
„Ach ja, son Christfest is doch ooch janz scheen!"

Und frohgelaunt spricht er vom ‚Weihnachtswetter',
mag es nun regnen oder mag es schnein.
Jovial und schmauchend liest er seine Morgenblätter,
die trächtig sind von süßen Plauderein.

So trifft denn nur auf eitel Glück hienieden
in dieser Residenz Christkindleins Flug?
Mein Gott, sie mimen eben Weihnachtsfrieden . . .
„Wir spielen alle. Wer es weiß, ist klug."

Der Weihnachtsabend

Ernst Kossak

Es gehört seit einer Reihe von Jahren zu den Festmomenten meines Weihnachtsabendes, daß ich, nachdem die Beschenkung vorüber ist, in mein stilles Schreibzimmer gehe, das Fenster öffne, und rechts und links die nun beschwichtigte Straße hinabblicke. Der laute Verkehr der letzten Stunden hat vollkommen aufgehört, die Fuhrleute der Fabriken gönnen sich endlich Ruhe, das gewöhnliche Geschäft der Abendzeit erleidet ausnahmsweise eine Unterbrechung, selbst der Laternenmann ist früher fertig geworden und die Straße liegt still da, wie das große Schiff einer gotischen Kirche, deren Dach eingestürzt ist und den freundlichen ewigen Sternen den Einblick gestattet. Der wunderbare Frieden dieses glücklichen Abendes hat etwas ungemein Erquickendes für das Gemüt. Die Gaslichter der Straße leuchten nicht dem eiligen Laufe unruhig tätiger Menschen, nur aus nahen und fernen Fenstern blinkt der Schimmer des Weihnachtsbaumes, an dem von Zeit zu Zeit Schatten vorüberhuschen. In solchen Augenblicken vergleicht die Einbildungskraft die errungene Ruhe der eigenen Seele mit den wehmütigen und komischen Gegensätzen, wie sie in dem mannigfach gestalteten Familienleben einer großen Stadt zum Vorschein kommen, und sammelt in der Erinnerung die Beobachtungen, die wohl jeder an den traurigen Abenden gemacht hat, die er fern von den Seinigen, noch ohne eigenen Herd, einsam zubringen mußte. Lassen wir einige dieser Szenen als ein lustiges chinesisches Schattenspiel auf das Papier fallen, und zeichnen wir den Weihnachtsabend, wie er sich in den verschiedenen Stockwerken eines Berliner Hauses zu bilden pflegte.

In der ersten Etage wohnte ein reiches Ehepaar, dessen Leben nichts als fortwährender erbitterter Verzweiflungskampf gegen die Langeweile war. Die armen Leute hatten auf nichts zu hoffen und für nichts zu sorgen; ihr Dasein floß ruhig und breit dahin, wie ein Strom, der durch eine fruchtbare Niederung zieht. Im Sommer quälten sie sich in drei bis vier Bädern ab, im Winter räsonierten sie über das geringe Interesse der Theatervorstellungen und Gesellschaften, und die unvermeidlichen Übergänge von Frühling und Herbst füllten sie mit Einrichtungen und Veränderungen der Wohnung, des Mobiliars und der Toilette aus. In der Todesangst ihrer Geistes- und Gemütsleere hatte er sich einen Schnurrbart stehen lassen, sie war Mitglied eines Suppenvereines für Wöchnerinnen geworden. Nur der Weihnachtsabend brachte diesen Beklagenswerten eine erfrischende Anregung; sie bestand in der krampfhaften Anstrengung, einander durch kostspielige Geschenke ein heiteres Lächeln abzugewinnen.

In dem Salon, wo eine Anzahl von Bilder von älteren Kunstausstellungen in Gefangenschaft an den kostbar tapezierten Wänden hängt, steht ein großer ovaler Tisch unter dem brennenden Kronleuchter. Über die reiche Decke ist ein feines weißes Tuch gehängt, und die Weihnachtsgeschenke sind teils auf dieser Fläche ausgebreitet, teils liegen sie auf den umherstehenden, mit Samt überzogenen Lehnstühlen. Das Ehepaar sitzt an diesem Tische und zwar so, daß es durch die offene Flügeltür in das hellerleuchtete große Nebenzimmer blicken kann, wo die Dienstboten des Hauses um ihre aufgebauten Geschenke beschäftigt sind, und sich mit halblauter Stimme und scheuen Blicken auf die Herrschaft unterhalten.

„Was hast Du für den dunkelbraunen Samtpelz mit Nerz gegeben, lieber Mann?“ fragt die Dame und fährt nachlässig mit der Hand über den köstlichen, schwere Falten werfenden Stoff.

„Dreihundertachtzig Taler“, antwortet der Hausherr und streift die Asche seiner Zigarre an dem Querstäbchen einer silbernen Schale ab.

„Das ist nicht zu teuer“, sagt die Dame und nimmt ein Etui von dem Tische, in welchem Brillanten funkeln, während sie ihr mattes Auge darauf funkeln läßt, und „sehr schön – sehr schön“ murmelt.

„Wenn nur die Zigarren, welche Du mir gewöhnlich trotz meiner Bitten zu Weihnachten zu schenken pflegst, besser wären. Es ist eine wahre Manie von Dir, mir immer Zigarren aufzubauen, die man frühestens erst in drei Jahren rauchen kann!" sagt der Hausherr und gähnt.

„Was soll man Euch Männern schenken? Verwahre die Zigarren, wenn sie augenblicklich zu frisch sind? Mein Gott, was diese Kinder über uns heute für einen unleidlichen Skandal machen, es ist nicht zum Aushalten!“

„Es ist Weihnachten, da will ich mir den Lärm noch gefallen lassen, aber das Toben nimmt seit einigen Wochen in einer Weise zu, daß ich mich beim Wirt beschweren werde. Man wird älter, und ich empfinde täglich die Wohltat mehr, keine Kinder zu haben. Sie sind kein Segen für ruheliebende Leute.“

Die Dame antwortet nicht, aber sie wirft einen flüchtigen Blick nach dem seitwärts stehenden kleinen Schreibtisch, über dem das Miniaturbildchen eines zarten Kinderkopfes hängt, und seufzt leise. Das vorüberwehende Leben dieses armen Wesens war der einzige Strahl eines wahren Glückes, welches dem Ehepaare geschenkt worden war. Das Schicksal nahm die mißachtete Gabe schnell zurück, und von dem verstorbenen einzigen Kinde ist kaum etwas in den Herzen der Eltern zurückgeblieben. Die Züge jenes Bildes lassen sie fast gleichgültig, und nur an diesem Abende bebt ein leiser Klang aus der Tiefe der Menschheit in dem Gemüt der Mutter. Das geht vorüber, ihre Blicke wenden sich wieder auf den Tisch mit den Geschenken und das Bild hängt wieder unbeachtet da, nur für ausgezeichnet und wertvoll gehalten durch die hohe Kunst seines Meisters, der es einst durch die wiederbelebende Kraft des Genius nach dem Antlitz der Leiche geschaffen hat.

„Womit werden wir denn den Abend schließen?" fragt der Gemahl, „es ist gleich halb acht Uhr, und ich würde vorschlagen, wir ließen anspannen und führen in den Mäder'schen Saal, um Abendbrot zu speisen. Man kann hier doch nicht so allein sitzen bleiben."

„Johann hat gebeten, heute nach Hause gehen zu dürfen", sagt die Hausfrau und blickt in das Nebenzimmer, aus dem sich die Dienstboten bereits alle entfernt haben, „ich habe es ihm erlaubt."

„Du hättest mich auch vorher fragen können; der Mensch mit seinen ewigen Familien- und Taufgeschichten wird mir unausstehlich. Je nachsichtiger man gegen Kutscher ist, desto mehr nehmen sie sich heraus; sie gleichen darin vollständig den Pferden. Das hat man davon, daß man solchen Leuten für gewöhnlich den ganzen Tag zu ihrer eigenen Disposition läßt – da wird uns nichts Anderes übrig bleiben, als eine Droschke holen zu lassen."

„Ehe ich abends in der ersten besten Droschke fahre, bleibe ich lieber zu Hause. Ich habe keine Lust, mir beim Ein- und Aussteigen durch diese engen Wagentüren die Garderobe zu ruinieren", murrt Madame.

„So mag Friedrich in das Hinterhaus gehen und Johann holen; ich bleibe nicht zu Hause. Wer wird denn an einem solchen Abende zwischen seinen vier Pfählen sitzen bleiben und sich auf die Nasenspitze sehen? Ich will mich etwas zerstreuen und wenn möglich unter vielen Leuten sein."

Der reiche Mann schellt nach Friedrich und sendet nach dem unglücklichen Familienvater Johann, der am Fuße einer kleinen Weihnachtspyramide aufgegriffen, und aus den Armen zweier kleinen Johann's gerissen wird, um anzuspannen, zu Mäder zu fahren, bis Mitternacht auf dem Kutschbock zu wachen, und teils seine armen Rappen, teils sein eigenes Schicksal zu beklagen.

Lassen wir die Tür dieser stattlichen Salons zufallen und steigen wir rasch die Treppe hinauf in das zweite Stockwerk des Hauses.

In den Flächenraum, welchen unten das reiche Paar bewohnt, haben sich hier zwei Familien von Beamten geteilt, deren einer wir unseren Besuch abstatten. Auch hier nimmt die Mitte des Zimmers ein großer Tisch ein, allein die teuren Geschenke fehlen und mit ihnen die Langeweile, die Unzufriedenheit und Blasiertheit. Der hohe Tannenbaum ist mit gelben dicken Wachsstockenden besteckt und der Hausherr geht, in einen alten Bureaurock gekleidet, aufmerksam um das Wunder von Licht, Borstorfer Äpfeln, vergoldeten Wallnüssen und gehängten Armensündern von Pfefferkuchenmännern, und überwacht es mit der Lichtschere als Feuerwehr. Die Mutter sitzt da, wo der Glanz am lebhaftesten ist, und läßt den jüngsten Sohn des Hauses, einen kräftigen Mann von 13 bis 14 Monaten den Festabend genießen. Er sitzt auf ihrem Schoß und bearbeitet einen Apfel, der nur ein wenig kleiner als sein Kopf ist, bald mit den Zähnen, bald bearbeitet er in sichtlicher großer Aufregung zur Abwechslung den Tisch mit dem Apfel, wovon dieser bereits außerordentlich mürbe geworden ist. Zuweilen gelingt es ihm, eines seiner Geschwister bei den Haaren zu erwischen und kräftig zu zausen; doch stört das daraus entstehende Jammergeschrei nicht die herrliche Stimmung des Abends.

An den vier Seiten des Tisches haben sich die Kinder angesiedelt. Das älteste Töchterchen gibt sich unter weiser Anleitung der Frau Großmutter mit Erziehungsversuchen der Puppe ab, die zum Schlusse des Jahres 1857 ein neues Wachsgesicht und eine moderne Garderobe erhalten hat, bei welcher die Krinoline nicht fehlt. Der nächstfolgende Sohn hält zu mehrerer Sicherheit das geschenkte Weihnachtsbuch fest unter dem linken Arm, trägt einen Säbel um den Leib gegürtet, und baut, tief in die Anschauung seiner Herrlichkeiten versunken, ein kleines Bergwerk auf, das offenbar nicht bei Blumenthal oder Söhlke, unseren ersten Spielzeughändlern, gekauft ist. Da sieht sich der Vater, der eben mit dem Lichtputzen fertig geworden, sehr ernsthaft um, und fragt mit besorgter Miene: „Wo ist Paul? Ist Paul hinausgegangen?“ Das mit diesem Namen bezeichnete Wesen ist nämlich bis jetzt noch des Hausherrn vorletztes Kind. „Jette, sehen Sie einmal nach, ob Paul in der Schlafstube ist.“

Das Dienstmädchen verläßt rasch seinen Teller an dem Familientisch, wo sie sich mit einem wollenen Kleide und einigen blanken Talern unterhalten hat, und sucht die Fährte des vermißten Sprößlings. Nach zwei Minuten kehrt sie zurück und beteuert, daß Paul weder in der Schlafstube, noch in der des Herrn, oder der „alten Madame“ zu finden sei.

„Dummes Zeug“, ruft der Vater, „der Junge kann sich doch nicht unsichtbar gemacht haben, – Aha – der große Pfefferkuchen auf seinem Teller fehlt – ich habe es immer gesagt, Frauchen, wenn der Junge auch einen so großen Pfefferkuchen bekommt, wie die beiden älteren, erleben wir am heiligen Abend nichts Gutes! Paul! Paul! Du kommst gleich hervor!“

Bei diesen unwiderstehlichen Kommandoworten lassen sich hinter der herabhängenden Gardine der Fensternische mysteriöse Laute vernehmen, und der Vermißte, ein kleiner dicker Knabe von etwa vier Jahren, tritt mit einer etwas besorgten und doch sichtlich befriedigten Miene vor die Seinigen, die sämtlich ihre Blicke auf ihm ruhen lassen.

„Junge, wo hast du deinen großen Pfefferkuchen gelassen?“ fragt die ängstliche Mutter. Eigentlich erscheint diese Interpellation sehr unnötig, denn der gelbbraune Kitt, welcher die Lippen des Kleinen anmutig umgibt, und selbst seiner dicken Stumpfnase etwas höchst Pikantes verleiht, verkündet das stattgefundene Ereignis deutlich genug. Außerdem ist der ältere Bruder Gustav hinter den Fenstervorhang getreten und bringt ein winziges Fragment von Pfefferkuchen als Corpus delicti hervor.

„Nein“, sagt der erzürnte Vater, „woher mag dieses unglückliche Kind das Talent zum Fressen haben?“

„Er hat zum Kaffee zwei Stücke Kuchen gegessen!“ ruft die Mutter mit einer unglücklichen Miene aus.

„Nun, nun, kleine Kinder sind immer so, lieber Sohn“, begütigt die alte Großmutter den Schwiegersohn, „es wird ihm nicht so viel schaden.“

„Er bekommt kein Abendbrot und wird gleich zu Bette gebracht, der Weihnachtsteller aber wird weggeschlossen!“ gebietet der Vater, und Jette, als die häusliche Executivbehörde, ergreift den Pfefferkuchenvertilger und schleppt ihn von dannen, indem sie ihre vollständige Beipflichtung zu der amtlichen Verordnung durch die Worte kundgibt: „Sein Leib ist so dick, wie eine Regimentspauke.“

Naturhistorisch und pädagogisch gleich merkwürdig ist aber das Betragen des Schuldigen. In vollkommener Ruhe läßt er alles über sich ergehen.

Jetzt klingelt es hinten an der Küchenglocke leise und schüchtern.

„Wer mag so spät noch da sein? Die Jette hat sich doch keinen Bräutigam angeschafft?“

„Mama, es ist die arme Frau aus dem Hofe mit ihrem Kinde“, sagt das Töchterchen, welches unterdessen hinausgelaufen ist und die Küchentür geöffnet hat.

„Ach, Papa, darf ich die kleine Pyramide anzünden?“ fragt Gustav, den es sichtlich erfreut, etwas zum Besten der Witwe beizutragen, die hier neben den bescheidenen Weihnachtsgaben der einfachen Familie auch ihren Anteil erhält. „Ja, mein Kind, nur verbrenne Dir nicht die Finger!“ genehmigt der Vater und nickt der armen Frau freundlich zu, die ihr kleines Kind auf dem Arme, demütig in der Tür stehen bleibt. Sie hat ihren Mann durch den unglücklichen Zusammenbruch eines hohen Baugerüstes verloren und erhält sich und ihr Kleines kümmerlich durch Handarbeit.

Die gute Hausfrau übergibt ihr Kind der Großmutter und führt die Verlassene an einen kleinen sauber gedeckten Tisch, wo die ihr bestimmten Gaben, bestehend in einigen unentbehrlichen winterlichen Kleidungsstücken, Eßwaren zum Feste und etwas Geld, aufgebaut sind. Die arme Frau trocknet sich die Augen, küßt der Hausfrau die Hand, und bemerkt nicht, daß der auf dem Arm der nahestehenden Großmutter befindliche jüngste Beamtensohn danach trachtet, ihrem Kinde freundschaftlich in die Haare zu fahren. Rechtzeitig werden seine unchristlichen Absichten durch die Zwischenkunft des Hausherren vereitelt, der näher tritt und der Frau sagt, daß es ihm gelungen sei, ihr eine kleine monatliche Beihülfe aus einer Unterstützungskasse zu verschaffen.

Versuchen wir nicht die zufriedene Stimmung des kleinen Kreises auszudrücken; dergleichen läßt sich wie Musik nicht durch die Kunst des Wortes beschreiben. Wenn darin eine Dissonanz laut wird, so rührt sie nur von Paul her, welcher über die Verletzung seiner Rechte an das Abendbrot in's Klare gekommen sein mag, und bei dem Klappern der Teller, Messer und Gabeln von seinem Straflager aus ein Bittgesuch an die den Tisch deckende Jette richtet.

„Darf er noch einmal aufstehen, lieber Mann?“ fragt die weichherzige Mutter.

„Meinetwegen“, sagt der Vater, „aber ihr verderbt den Jungen in Grund und Boden. Gebe der Himmel, daß der Herr Minister recht bald die Verbesserung der Gehälter bei den Kammern durchsetzt, sonst frißt Dein Paulchen uns alle noch arm!“

So endete denn der Weihnachtsabend mit dem herzerhebenden Akte einer Begnadigung.

Unser täglich Brot gib uns heute

Clara Viebig

Der heilige Abend nahte. Die Schaufenster zeigten immer verführerischere Auslagen. Am letzten Sonntag vorm Fest ging Mine mit Fridchen bis auf die Potsdamerstraße, um ihr die Läden zu zeigen. Das Kind staunte mit großen Augen und offnem Mund; es war außer sich vor Glück und weinte, als die Mutter nun endlich nicht mehr vor den Lockenpuppen und den warmen Mäntelchen und Mützchen und Müffchen stehen bleiben wollte.

Das heranrückende Weihnachtsfest schien aber nicht bloß die Geldbeutel, nein, auch die Herzen zu öffnen: Mine bat nie um etwas, und doch bekam sie Geschenke.

„Es wird am Ende noch ein Christkindchen", sagte eine heitre, hübsche Dame, die Mutter der zwei kleinen Mädchen, Lore und Else, die Fridchen einmal den Apfel geschenkt. Sie nahm immer selber den Lokalanzeiger ab und gab nun der Zeitungsfrau Windeln und Jäckchen und zwei Hemdchen von ihrem Jüngsten.

„Daß de dich über so'n zusammengeschnorrtes Zeug noch freuen kannst", brummte Arthur, als Mine nach Hause kam und ihm ganz glückselig die kleinen Sachen wies. „Nimm se weg, was soll der Dreck?!"

Sie strich förmlich zärtlich die Hemdchen glatt, die er unsanft auseindergerissen, und verwahrte alles sorgfältig; aber auf ihrem Gesicht war der Freudenschein erloschen. Daß der Arthur doch gar kein Herz für das zu Erwartende hatte! Sie hatte sich auch zuerst nicht gefreut, wahrhaftig nicht, aber nun war doch in ihr Herz ein Schimmer freundlicher Erwartung gekommen. – – –

‚Und siehe, der Stern stund oben über, da das Kindlein war. Und sie gingen in das Haus und fanden das Kindlein, in Windeln gewickelt und in einer Krippe liegend, und fielen nieder und beteten es an und taten ihre Schätze auf und schenkten ihm Gold, Weihrauch und Myrrhen.

Und der Engel sprach: „Siehe, ich verkündige euch große Freude!"' – – –

Das hatte Mine aufgesagt zur Weihnachtszeit, als sie vor vielen Jahren, im gestriegelten Flachshaar, auf der niedrigen Holzbank, in der mollig warmen Schulstube gesessen. Jetzt, nach all der Zeit, fiel's ihr auf einmal wieder ein. Eine Hoffnung erwachte in ihr.

Und sie lag die lange Winternacht in ihrer kalten Kammer und bewegte diese Worte in ihrem Herzen . . .

Vater Reschke hatte alle Jahre Weihnachtsbäume für die Kundschaft zu verkaufen gehabt, mehr aus Gefälligkeit, als wegen des Verdienstes, und weil er an den grünen Bäumen, die aus Wald und Heide stammten, sein Vergnügen hatte. Dieser Gewohnheit wollte er auch dies Jahr nicht entsagen. Eine Erinnerung an jenen schlanken, jungen Fichtenstamm, den er sich als Knabe allweihnachtlich aus dem Golmützer Forst stibitzt, beherrschte ihn ganz und gar; selbst hier unten, im modrigen Keller, glaubte er den harzigen Duft jener jungen Fichte zu spüren.

Diesmal hatte er nur Bäume für kleine Leute, kleines, krepliges Zeug, schief und knorrig gewachsen und halb abgenadelt, das die großen Händler, die gleich mit Wagen und Pferden an den Bahnhöfen erschienen, nicht mochten. Vor dem Kellereingang war ein Trüppchen aufs Trottoir gepflanzt, und der Alte stand auf der Treppe und bewachte mit halb zugekniffenen Augen seinen Wald. Mit geblähten Nasenflügeln witterte er den Tannenduft; er war so in Träumen verloren, daß er nicht merkte, wie Elli und die Straßenrangen, die zwischen den Bäumchen Zeck spielten, sie umrissen, trotz der Ständer, die er ihnen aus Kistendeckeln gemacht.

Das einzige hübsche Bäumchen, das frisch grün war und rundgewachsen, hatte Vater Reschke beiseite gestellt: wenn Leute das kaufen wollten – auf die andren hatten sie keine besondere Lust – sagte er jedesmal: „Bedaure, det is schonst verjeben!" –

Mine hatte sich von ihrem Schwiegervater ein Bäumchen ausbitten wollen, aber als sie am Morgen des vierundzwanzigsten hinkam, hatte er gerade das letzte losgeschlagen.

„Großvater, de hätt'st wohl ooch an Fridchen denken können", sagte sie vorwurfsvoll. Verlegen sah der Alte umher.

Da stand ja noch ein Bäumchen, halb versteckt hinterm Türflügel. Ei, das war rund gewachsen und voll frischer, grüner Nadeln! Mine fuhr dem kleinen Baum über die krausen Zweige, wie sie ihrem Fridchen über die Haare streichelte. „Der is aber scheene!"

„Laß man", sagte der Alte unruhig und trat unschlüssig zwischen ihr und dem Bäumchen hin und her. Man merkte ihm an, daß er schwankte. Aber dann gab er sich einen Ruck: „Ne, ne, laß man, mein Dochter, ich kann wahrhaftig nich – der is schonst verjeben!"

Mine ging traurig weg; wenn sie Fridchen auch weiter nichts bescheren konnte – nur ein Bäumchen mit ein paar Lichtern daran! Die träumte ja Tag und Nacht von einem ‚Viellichterbaum'. Aber auch dazu war kein Groschen übrig.

Noch nie war sich Mine ihrer Armut vollständig klar bewußt geworden; heute war sie zum ersten Mal *ganz* arm – ihr Kind bekam keinen Baum.

Umflorten Blicks, mühselig und beladen, wankte sie über die Bülowpromenade. Wo die hohen Edeltannen gestanden, lagen noch einzelne abgehackte Zweiglein; sie las sie auf, aber wie sie auch das Grün hin und her wendete und ordnete, zum Baum wollte es nicht werden. –

Am Nachmittag schritt Vater Reschke, den kleinen, runden Tännling unterm Arm, übers eisige Feld dem Kirchhof zu. Der Wind stemmte sich ihm entgegen und warf ihm Hände voll kristallisierten Sandes in die Augen; es war ein mühsames Gehen. Endlich hatte er das Gittertor erreicht, endlich – zwischen all den Hügeln – durchgefunden! Nun war er am Ziel; nun pflanzte er den Weihnachtsbaum auf Gretes eisiges Grab.

„Da, Jrete!"

Weiter sagte er nichts; aber er blieb eine lange Weile am Hügel stehn, den Hut zwischen den gefalteten Händen; und die rauhe Winterluft spielte mit seinem grauen Haar.

Es war zwischen Hell und Dunkel. Als er sich zur Heimkehr umwandte, kam's auf ihn zugeflattert wie eine große Krähe; das war ein wehender Kreppschleier, aber erst ganz in der Nähe erkannte er, wer ihn trug.

„Nanu – Mutter?!" rief er, mit den geröteten Augen blinzelnd.

Auch Mutter Reschke brachte ein Bäumchen, es war geputzt mit bunten Ketten, mit Goldpapiersternen und roten und blauen Kerzchen.

„Steck man an for Jreten", sagte sie leise und reichte ihrem Mann eine Streichholzdose. Aber wie sich der Alte auch mühte, und die Frau sich als Windschirm vorstellte und die Kleider ausbreitete, die Lichter verloschen immer wieder.

Sie wollte schon ungeduldig werden, aber er sagte resigniert: „Laß man, Mutter, et muß ooch ohne Licht jehn!" Und dann faßte er nach ihrer Hand und zog sie neben sich: „Stell der man hierher, Amalchen!"

So standen sie beide Seite an Seite; sie sprachen kein Wort mehr. Er schneuzte sich nur einmal, und sie zog plötzlich ihren Kreppschleier, der ihr so viel zu schaffen machte, sich jetzt im Wind wie ein Segel blähte, sich wie ein Strick um ihren Hals schnürte, mit heftigem Ruck vors Gesicht. Und dann seufzten sie alle beide aus Herzensgrund.

Sie hatten es gar nicht eilig, nach Hause zu kommen – Elli vertrat sie ganz genügend – es war ja im Geschäft so wenig zu tun, fast gar nichts! – – –

Eine bitter kalte Dämmerung sank nieder, ein schneidender Nord sauste durch die Straßen. Das war kein festliches Wehen, und doch eilten die Menschen froh. Alle Mienen schienen erhellt, auf den Kindergesichtern schimmerte die Ahnung baldiger Herrlichkeit.

Mine hatte ihre Kleine auf den Arm nehmen müssen, die wäre sonst umgerannt worden. Vor den Kaufläden staute sich die Menge, jeder wollte noch rasch ein Geschenk erstehen, und Männer und Frauen eilten beladen, und Herren und Damen fuhren in Droschken und sahen kaum über alle Pakete weg. Weihnachtsstollen wurden getragen; wenn der Wind das weiße Tuch über dem Blech lüftete, wurden Fridchens Augen ganz groß.

Kinder kamen von einer Schulbescherung; Hand in Hand, das Trottoir mit ihrer langen Reihe versperrend, sangen sie aus hellen Kehlen ein Weihnachtslied. Der Wind riß ihnen die Worte vom Munde weg, aber wenn man die auch nicht verstand, man ahnte sie.

Die Glocken der Kirchen läuteten dazu. So viele Kirchen Berlin auch hat, heute schienen es ihrer noch mehr; die ganze Luft war durchzittert von Glockenklang.

Das müde, blasse Gesicht Mines rötete sich allmählich, aber nicht allein von der scharfen Luft; ihr Herz klopfte, und ihrem Herzschlag antwortete tief, tief innen ein anderer Herzschlag, leise, wie ein Ticken.

„Sei stille“, sagte sie zu Fridchen, die vor Hunger und Kälte zu wimmern anfing. „Paß uf, gleich stecken se de scheenen Lichterbäume an!“

Und das Kind hörte auf zu weinen, reckte sich und paßte auf.

Endlich hatte Mine ihre letzten Zeitungen ausgetragen; es war auch gut, daß sie fertig war, die vielen Treppen wurden ihr zu schwer, auf jedem Absatz mußte sie rasten, und sich, nach Luft ringend, am Geländer halten. Als sie nach Hause ging, brannten die Weihnachtskerzen schon in den Erkern hinter den Fenstern und warfen ihren Glanz hinaus in die Dunkelheit. Fridchen freute sich wohl, aber sie streckte die Händchen aus und wollte auch einen ‚Viellichterbaum‘ haben.

„Quäl mer nich so“, sagte Mine endlich ganz erschöpft.

Sie kamen zu Hause an; die Küche war noch dunkel, auch in der Kammer brannte das Lämpchen nicht, und doch war Arthur schon da. Er saß beim kalten Herd; als Mine im Finstern nach den Streichhölzern tastete, faßte sie zufällig auf sein Haar.

„Jeses, Arthur!"

Er rührte sich nicht.

„Biste schon lange da?"

Er stieß einen unartikulierten Laut aus, ungefähr klang es wie: ‚Ja.'

„War's heut nischte mit 'nem Verdienst?"

„Ne."

Sie seufzte tief.

Er auch.

„Un 's is doch heute so viel los uf der Straße!"

„Jawoll, für den, der Jeld hat", sagte er ingrimmig.

Sie merkte es an seinem Atem, er hatte etwas getrunken.

„Haste gar nischt?" fragte sie zögernd und streckte die Hand aus. Wenn sie doch wenigstens fünf Pfennig hätte, um Fridchen eine Kuchenschnecke zu kaufen! Es war doch Weihnachten! „Gar nischte – ?!"

„Verhör mich doch nich so! Zehn Pfennig hat mer eine jejeben, der ich 'ne Droschke ranjeholt habe un de Pakete rein jelangt. Zehn Pfennig – haha! Ob du die hast oder nich, is janz schnuppe, langen tut's doch nich. Ich hatte noch nischt Warmes im Leibe jehabt, ich habe 'nen Schnaps for jetrunken."

„Jeses, Arthur, nu habe ich gar nischte, ooch rein gar nischt for Fridchen!"

„Ich kann der nich helfen!" Aber seine Stimme zitterte, als er das sagte. Er rief Fridchen heran und nahm sie auf seinen Schoß, und sie saß da ganz still. Sie merkte es wohl: heut durfte sie nicht plappern.

Es war ein trauriges Schweigen in der kalten Küche. Mine trappte schwerfällig hin und her, zog den Tischschub auf, kramte im Schrank und durchsuchte die Taschen von Arthurs Überzieher. Kein Stück Brot mehr, kein Endchen Wurst und auch kein Pfennig! Nur im Korb war noch eine Handvoll Kartoffeln und in der Tüte ein Restchen Kaffee.

Ihre Hände zitterten, als sie von den letzten Preßkohlen in den Herd steckte und mit alten Zeitungen Feuer anmachte. Sollte sie zur Nachbarin gehen und etwas borgen? Ach, die hatte ja selber nichts! Zu den Schwiegereltern? Bei denen ging's ja auch bald zu Ende! Wenn der Bäcker morgen nicht wieder borgte und der Kaufmann auch nicht, was dann – ?! Heute hatten sie noch Kartoffeln, aber morgen – ?!

Eine plötzliche Schwäche ergriff sie; was sie in der Hand hielt, fahren lassend, sank sie mit einem lauten Aufseufzen auf den nächsten Sitz.

Arthur hob den Kopf und sah sie an, ohne Wort, mit einem Blick, vor dem sie erschrak.

Ein klägliches Lächeln erzwingend, sagte sie: „Weißte, Arthur, zu Neujahr krieg ich doch Trinkgeld!“ So versuchte sie, ihm und sich Mut einzusprechen.

„Wenn wer bis dahin nich krepiert sin“, murmelte er finster, ließ Fridchen niedergleiten, stand rasch auf und ging nebenan in die Kammer.

Dort setzte er sich im Stockdunklen auf den Bettrand und stierte in die schwarze Leere, die ihn umfing. Hier sah er wenigstens nicht das niedergeschlagene Gesicht seiner Frau und die verlangenden Augen Fridchens.

Den ganzen Tag war ihm sehr elend zu Mut gewesen. Als er alle hasten und einkaufen und heimschleppen sah, war ein wütender Ingrimm in ihm aufgestiegen; er hätte die Faust heben und ins erste beste Schaufenster schlagen mögen, daß die Splitter flogen. Stunde auf Stunde hatte er gewartet, an den Ecken, vor den Modemagazinen, vor den Pfefferkuchenläden, vor allen Geschäften, durch deren Türen die kauflustige Menge ein und aus strömte; keiner gab ihm einen Pfennig zu verdienen. Und ihm wurde so kalt, so kalt, selbst das Herz erstarrte ihm. Und als er endlich zehn Pfennige verdient, hatte er den Ingrimm herunterspülen müssen mit einem Schluck – jetzt tat's ihm leid. Zehn Pfennige waren für Mine ein Heiligtum.

„Arme Mine!“ Er sagte es ganz leise vor sich hin. Ja, der wäre wohler, wenn er nicht da wäre! Ein Esser weniger. Die würde sich allein besser durchbringen. Die war ja so sparsam, und wenn sie erst wieder ihre Waschstellen aufnehmen konnte, ernährte sie sich und ihre Kinder anständig. Und mitleidige Seelen würden sich finden, die ein verlassenes Weib unterstützen; und sie war ja nicht heikel, empfand nicht das Drückende des Sichbedankenmüssens, konnte sich auch harmlos freuen über eine alte Gardine und ein abgelegtes Kinderhemd.

Nein – er zuckte zusammen – das konnte *er* nicht! Wie ein Bettler dastehn, sich noch immer tiefer demütigen –?! Schnell überflogen seine Gedanken die Spanne Zeit, die ihn vom Gymnasium trennte; die Schamröte stieg ihm ins Gesicht – so tief war er heruntergekommen?! Nein, es war besser, daß er ging! – Aber wohin – ?! – – –

Wieder untertauchen im Meer der großen Stadt, wie damals? Umherirren und umherbummeln, bei Mutter Grün nächtigen, wenn der Groschen für die Penne nicht da war? Auf den Bänken der Schmuckplätze lungern, sich von der Sonne den Buckel wärmen und auch den leeren Magen füllen lassen?!

Nein, nein, das konnte er jetzt nicht mehr! Dazu war er schon viel zu müde, viel zu alt.

Er strich sich über den eingesunkenen Brustkasten und befühlte dann seine magren Arme. Wie rasch man doch altern kann! Wenn er dreißig Jahre zählte, würde er schon graue Haare haben – ja, ganz grau. – – –

Jetzt fehlte nur noch, daß der Wirt sie heraussetzte; gedroht hatte er schon seit Wochen damit. Mit einer Mark Abzahlung hie und da ließ er sich nicht mehr befriedigen, er verlangte wenigstens voll und ganz die rückständige Miete vom November. Woher das Geld nehmen –?!

Arthur griff sich in die wirren Haare. Ja, er mußte gehn! Wieder auskneifen – aber nicht, wie damals!

Zwei Droschkenkutscher am Halteplatz hatten sich heute von einem erzählt, der sich aus Liebesgram aufgehängt. Lachend hatten sie es sich zugeschrien von Bock zu Bock.

Aus ‚Liebesgram' – ?! Der reine Mumpitz, das gibt's ja gar nicht! Arthur lachte bitter. ‚Aus Nahrungssorgen,' steht so oft im Polizeibericht; und das gibt's.

Er konnte es sich deutlich vorstellen, wie er im Tiergarten an einem kahlen Ast baumelte. Der kalte Vollmond schien ihm ins Gesicht und Eiskristalle hingen ihm am Schnurrbart. – – –

Wie die Alte sich hatte! Die ganze Göbenstraße zeterte sie zusammen! Da würde die Klingel unter der Stufe wieder den ganzen Tag gellen und schrillen. Na, das brauchte er ja dann nicht mehr zu hören!

Nichts mehr sehn und hören, das war das Beste, das einzig Gute, was ihm blieb.

Tiefe Nacht war's in der Kammer, durch die dicken Eisblumen des Fensters drang kein Mond- und Sternenschimmer. Ein Zittern überfiel ihn. Ja, er würde gehn. Und bald! Sonst fiel er noch hier um und blieb liegen vor Schwäche. Trotz aller Erregung verspürte er den nagenden Hunger; ein schmerzhaftes Drehen war in seinem Magen, und im Leibe schnürten sich ihm die Gedärme zusammen. Ihm schwindelte.

Nur rasch, rasch! Einen Strick hatte er nicht, doch tat's auch der Hosenträger. – Aber nicht hier in der Kammer – das wollte er der Frau doch nicht antun als Weihnachtsbescherung. – Wie froh konnte die eigentlich sein, wenn sie so einen Lumpen los war! Ach nein, ein Lump war er nun doch nicht, nur ein armer

Teufel. Er fühlte ein grenzenloses Mitleid mit sich selber und zögerte. Der Angstschweiß brach ihm aus.

Da hörte er nebenan ein Geräusch, einen Stuhl rücken, Mines Stimme. Kam sie?! Die würde ihn zurückhalten!

In plötzlicher verzweifelter Entschlossenheit sprang er auf. Rasch fort! Schon faßte seine Hand nach dem Fensterriegel – öffnen – hinaussteigen auf den Hof – fortrennen und –

„Arthur!"

Er stutzte.

Und nun ertönte ein Jubelschrei.

„Arthur, Arthur!" Mine riß die Kammertür auf, mit einer ihr sonst fremden Lebhaftigkeit stürzte sie auf ihren Mann zu; sie zog ihn am Ärmel. „Da – kuck mal – o Jeses ne, nu kuck nur!"

Ein paar verlegen dreinschauende Kinder standen mitten in der Küche. Es waren wohlgekleidete, rosige Mädchen mit freundlichen Gesichtern. Die Älteste hatte eben einen ziemlich großen Korb ausgepackt, auf dem Tisch lagen ein Stück Schweinefleisch, Reis, Kaffee, Zucker und ein langes Kuchenbrot.

In ihren Augen glänzte die Freude des Gebens; nun sagte sie schüchtern und doch wichtig: „Mutter sagt, Sie sollen sich auch'n Feiertag machen!" Ihre kleinere Schwester anstoßend, flüsterte sie: „Du, Else, gib doch mal! – Hier, Frau Reschke, da sollen Sie Ihrer Kleinen was für kaufen, sagt Mutter!"

In Mines Hand lag ein Zweimarkstück. Sie starrte und staunte und konnte noch gar nicht an ihr Glück glauben. „Was – was – das soll ich ooch noch kriegen?!"

Die kleine Else nickte. „Hm. Und Lore soll noch sagen –"

„Ich weiß schon", unterbrach die Große rasch, ging auf Mine zu, knixte und gab die Hand: „Vergnügte Feiertage!"

Mine war langsam in die Kniee gesunken; so umfaßte sie die kleinen Mädchen mit beiden Armen. „Oh, nu hat se mer erscht neulich de schönen Windeln un de Hemdchen un das Jäckchen geschenkt! O de liebe, gutte Mutter! O ihr gutten Kinder!" In ihrer Herzensfreude drückte sie die beiden so heftig, daß sie ganz verdutzt zurückwichen.

„Wir müssen nu gehen", sagte verschämt die Ältere.

Und die Kleine trippelte schon zur Tür: „Jetzt kriegen wir auch beschert!"

„Fridchen, Fridchen", rief Mine – das Kind hatte bis jetzt stumm und verdutzt dagestanden – „nu bedank der ooch! Kuck, zwei Mark! Und so viel Essen!"

Fridchens große Augen verschlangen fast das Kuchenbrot, und auch Arthurs bleiche Wangen hatten sich beim Anblick der

Eßwaren leicht gerötet. Merkwürdig, heute, diesen freundlichen Kindergesichtern gegenüber, wurde ihm das Danken nicht so schwer.

Er gab der Ältesten die Hand. „Sagen Sie der Frau Mama unsren besten Dank, Fräulein! Unsren allerbesten Dank!"

Die Tür hatte sich hinter den Kindern geschlossen, jetzt hörte man noch ihre fröhlichen Stimmchen auf dem Hof.

Da brach Mines Freude erst recht los; sie nahm das Stück Schweinefleisch und wog es selig in beiden Händen. „Ne, so viel, ne, so viel Fleisch! Das langt for de ganzen Feiertage – ach, ne noch viel länger!"

„Na na!" Arthur betrachtete es kritisch. „Lange jenug haben wir ja keins jekriegt – 'n janz nettes Stück!" Das Wasser lief ihm im Munde zusammen. „Ich habe Hunger!"

„Da!" Sie hielt ihm das Kuchenbrot hin.

Er schnitt sich ein Stück ab, und dann eins für Fridchen. Jetzt erst glaubte die an ihr Glück; jauchzend, mit ausgestreckten Händchen, lief sie auf den Vater zu.

Mine war von großer Geschäftigkeit; sie fühlte nichts mehr von Erschöpfung, noch einmal war sie so flink, wie ein junges Mädchen. Rasch warf sie ihr Tuch um. „Ich komm gleich wieder, paß derweilen ufs Feuer, ich bring ooch noch Preßkohlen mit."

Fort war sie, und Arthur, Fridchen auf dem Schoß, saß wieder am Herd; aber er brütete nicht finster vor sich hin, wie vordem, sondern er beobachtete mit Behagen das Fallen der glühenden Funken ins Aschenloch und horchte dem Singen des Wasserkessels. Seine Todesgedanken waren verschwunden, wie fortgeblasen, seit er den ersten Bissen in den Mund gesteckt. Die Stolle war gut.

Mine kam bald wieder. „Ich mein, 's is garnich mehr so kalt", sagte sie vergnügt und schüttelte ihr Tuch aus, „'s schneet schon. Was sagste nu, Fridchen?!"

Sie hatte einen kleinen Tannenbaum mitgebracht; Zweige hatte der freilich nur auf einer Seite, dafür hatte sie ihn aber auch billig erstanden, nebenan im Kohlenkeller; und wenn man die kahle Hälfte an die Wand rückte, ahnte kein Mensch, daß es eigentlich nur ein halber Weihnachtsbaum war. Und Lichtchen wurden an der Vorderfront aufgesteckt, ganze sechs Stück. Sie waren nur dünn, aber sie brannten merkwürdig hell.

Mines Augen leuchteten. Als es jetzt klopfte, rief sie heiter: „Herein!"

Der alte Reschke war's; Fridchen lief ihm entgegen. „Du sollst nich denken, daß Jroßvater ihr vergessen hat", sagte er zu Mine, die Hand auf Fridchens Kopf legend. „Da haste 'ne Puppe for ihr, bau se ihr uf!" Und sich zu dem Kind niederbeugend flüsterte er: „Was, Fridchen, willste ihr Jrete nennen? Oder" – er holte seufzend Atem und schnüffelte – „oder – Trudeken?"

Mine faßte die Hand des Alten. „Komm, Vater, setz der! Wir sind doch ooch noch da," sagte sie herzlich.

Die Lichtchen am Bäumchen flackerten; leise knisternd glimmten die vertrockneten Zweige an, ein wunderbar starker Duft erfüllte die armselige Küche.

Mine stellte sich neben ihren Mann, räusperte sich und stimmte dann an, was sie einst Weihnachten daheim in der Schule gesungen; noch hatte sie die alte Weise nicht vergessen. Aber niemand fiel mit ein; die Männer kannten das Lied nicht, und Fridchen war noch zu dumm. Da sang sie es allein bis zu Ende, stark und deutlich.

Die Hände vor sich gefaltet, schaute sie sinnend in den Tannenbaum. Eine Regung ging durch ihre Seele, die sie bisher nicht gekannt.

Nie hatte sie Ähnliches empfunden, auch nicht, wenn sie daheim allsonntäglich in der Dorfkirche gesessen; und doch hatte da der Herr Pastor so lange und eindringlich gewettert, daß die Schläfrigen auffuhren, der Kantor kräftiger anstimmte und die alten Weiber lauter schluchzten.

Auch als sie mit Grete bei der Heilsarmee gewesen, war ihr nicht so geworden; da hatte sie sich gegraut. Die Männer und Frauen mit ihrem Halleluja und ihrem Händeklatschen, all die Gesänge, die Reden, und gar das Spiel vom Engel und Teufel flößten ihr fast Widerwillen, keine Andacht ein. Arme Grete!

Und bei ihrer Trauung in der großen herrlichen Stadtkirche, in der die bunten Fenster einen wunderbaren Schimmer warfen, in der berghohe Pfeiler aufwuchsen, hatte sie da Ähnliches verspürt?!

Mine faltete ihre Hände fester. Jetzt flogen ihre Gedanken höher, als Pfeiler und Mauern und Dächer sind, und flogen weit hinaus vor die Stadt, draußen ins freie Feld.

Da stand ein Stern über der dunklen Erde in freundlichem Glanz.

Und *über* dem Stern noch, da wohnte jemand, der sah auch sie.

Eine tröstliche Gewißheit kam über sie bei diesem Gedanken, ihr Blut floß rascher durch die Adern in einer fröhlichen Zuversicht.

Sie flüsterte leise für sich:

„Vater unser, der du bist im Himmel –"

Und dann betete sie laut weiter, gläubig wie ein Kind:

„Unser täglich Brot gib uns heute,
Und vergib uns unsre Schuld!"

Die beiden Männer sahen sie verwundert an, um Arthurs Lippen zuckte es sogar ein wenig spöttisch. Ernsthaft nickte sie ihm zu; und dann zog sie Fridchen zu sich heran und legte ihre arbeitsrauhe Hand um die weichen Kinderwangen.

„Das von ‚unsren Vater im Himmel' wer' ich ooch's Mädel lernen", sagte sie. „Wenn mer'sch glaubt – ju ju – is 's gar sehre gutt. 's macht for unseinen 's Leben leichter!"

Die Armseligste und der Goldfaden

Ruth Hoffmann

Armselig, ja, das war sie, das war sie immer gewesen, verändern würde sich nichts mehr, und jetzt hatte sie es satt! Sie sah nicht länger zu, wie die Glücklichen bekamen, eins nach dem andern, was ihr vorenthalten wurde: den Liebsten, aus dem sogar, manchmal der Ehemann wurde, das Kind, das erste und die folgenden.

Nicht einmal eine Patenschaft trug man ihr an, denn von ihr waren keine schweren Namenslöffel zu erwarten, kaum den früheren Tauftaler, das Eingebinde, hätte sie übrigmachen können. Sie hätte höchstens zum „Freßgevatter" getaugt, und dazu bedurfte man ihrer erst recht nicht, und weil sie niemals Brautjungfer war, niemals den Täufling hielt, ihn sanft beschwichtigend, damit er die feierliche Handlung nicht störe, wurde sie auch niemals des Hochzeitsweines und des Patentrunks teilhaftig.

Und wenn sie jetzt Schluß machte, tat sie es, ohne zu wissen, wie Champagner schmeckt. Nie ein Glas Sekt in dreiundvierzig Jahren, nur die hübschen Korken hatte sie sich manchmal von Bekannten ausgebeten und auf die Küchenkommode gestellt, als sie noch eine eigene Küche hatte. Und da wage nur jemand zu behaupten, daß sie nicht die Armseligste wäre von allen! Keinen Kuß, keinen Wein, kein Kind im Schoß. Keine Witwenschaft – manchmal fand sie, daß die geachtete Trauer, das mitleiderfüllte Wohlansehen, welches der Tiefverschleierten dargebracht wurde, etwas besonders Wichtiges und die alltäglichste Frau Erhöhendes war. Für eine Weile wenigstens. Sie beneidete die Witwen, wenn sie im Krepp paradierten und die beiden Trauringe auf der rechten Hand förmlich herzeigten, als ob sie sagen wollten: Seht nur, kommt nur, ich bin wieder zu haben. Und fast neidete sie ihnen auch die Trauer um den Sohn, wenn er fiel. Schmerzen, jawohl, fürchterlichste Mutterschmerzen, aber sie waren die bittre Frucht des süßesten Glücks auf Erden. Und sie? Sie hatte nicht einmal Tote, um sie zu beweinen, armselig, wie sie war. Nur die Eltern, und das war lange her. Die Gräber waren dort, wo sie niemals mehr hinkommen würde, und sie mochten nur noch Schutthaufen sein, denn mit der Grabesruhe war es auf diesem Friedhof für immer vorbei, da lag ein Bombentrichter beim anderen. Sie verbot es sich, an das alles zu denken, an die Eltern besonders, gerade jetzt und bei dem, was sie vorhatte. Denn sie hatte etwas vor – etwas, von dem keine Macht der Welt sie abbringen würde.

Daß sie zusammenschauerte, kam nur von der Kälte im Zimmer, in dieser grauen nackten Höhle, die sie verabscheute, die unwirtlich war und durch liebloses Betrachten, durch Haßblicke noch unwirtlicher wurde. Nur die Kälte, die geradezu feucht schmeckte und den Hauch wies, war an ihrem Sichschütteln schuld. Denn Furcht hatte sie nicht, höchstens davor, daß der Fensterwirbel nicht hielt. Aber sie hatte sich an ihn gehangen mit ihrem ganzen Gewicht, das ohnehin kaum noch ein Gewicht zu nennen war. Der Fensterwirbel aber, der rostbefallene, hatte gehalten.

Jetzt galt es, ein Stück geeignete Schnur zu finden, und sie suchte den grauen Blechkasten hervor, in dem sie Bindfäden in allen Stärken und Längen, zu Döckchen gewickelt, aufbewahrte. Denn sie war ordentlich und hatte früher viel Sinn für das Hübsche, die Nettigkeit und Zier gehabt. Früher – aus dem früheren Dasein mit Zweizimmerwohnung, heller warmer Küche, blütenweißem Bett und blankgewachsten Eichenmöbeln stammte der Inhalt dieses Kastens nicht. Der frühere Kasten war mitverbrannt, in jener Nacht, die sie zur Armseligsten machte, weil ihr das einzige Ziel des einfachen Tages, der endliche Feierabend im Selbsterworbenen, genommen wurde.

Alles Papier, alles Papier, murmelte sie, den Kasteninhalt genau prüfend. Wie trügerisch war die Dicke des Bindfadens, der von Hanf nichts mehr wußte.

Aber es müßte doch ein Schnurende da sein, fiel ihr ein, das noch von damals herstammte. Dasjenige, welches sie um den Koffer gebunden hatte – in jener Nacht.

Sie grub zwischen den grauen Döckchen, schüttelte sie durcheinander, fand auch den haltbaren, hänfenen Strick, den zweckdienlichen, und dann sah sie das Glitzern! Auch dieses kam aus dem Früheren, genau wie die feste Schnur. Es brach förmlich die Vergangenheit auf und wurde verursacht durch ein Stück Goldfaden, richtigen blanken Goldfaden, wie er zum Paramentensticken und Fahnensticken verwendet wurde. Denn sie war Goldstickerin, als es noch echte Goldfäden gab. Durch ihre geschickten Finger waren die Spiralschlänglein der Kantille gezittert, golden und silbern, und das schwere Goldband für die Applikationen war durch sie geglitten, und sie hatten das zarte Rieseln der Goldflitter und der feuervergoldeten kleinen Perlchen gespürt. Das leise Knistern und Knittern des unversponnenen gehämmerten Goldes, des fadenschmalen lamettadünnen, glaubte sie deutlich zu hören. Von den Stickfäden hatten sie manchen Rest aufbewahrt zum Befestigen des Baumschmuckes an Weihnachten, und dieses Glitzern im häßlichen Kasten kam von einem solchen Faden. Er mochte zwischen ihrem geretteten Nähzeug gewesen sein, damals, und machte sich jetzt auf eine Art bemerkbar, als wolle er ihr alles, was schön war auf dieser Welt, lieblich, innig – Weihnacht und Kindheit, das reichgestickte Meßgewand und mit ihm sowohl Chöre und Geläut und herzlichen Glauben, als auch ihre Kunst- und Fingerfertigkeit, auf die sie stolz war, und ihren Fleiß, der einen Hausstand erworben hatte – noch einmal in Erinnerung bringen.

Alles, was schön war und lieblich – als sie an den Baumschmuck dachte, kamen die Lieder ihr in den Sinn, vor allem das liebste – Es ist ein Ros entsprungen – sie summte es unwillkürlich, die ersten Töne, dann erschrak sie vor der Wandlung, welche sich vorbereitete.

Keine Macht der Welt, hatte sie vorhin noch gedacht und nicht mit den Mächten des Himmels gerechnet.

Wer könnte aber, nachdem er: „Es ist ein Ros entsprungen" vor sich hinsummte, das tun, was sie doch tun wollte . . .

Der Goldfaden hing zwischen ihren Fingern, bewegte sich schwach in der Zugluft vom undichten Fenster und glitzerte. Er schien zusammengesetzt aus unzähligen einzelnen Perlchen oder winzigen Facetten, in denen das Kerzenlicht sich brach, denn auch das Stümpflein mit einem kurzen Rest vom Docht gibt noch den Schein.

Dieser Schein, verfangen im goldgesponnenen Faden, breitete sich aus, es brach ein Leuchten über sie herein, sie schloß nicht die Augen, sie sah, wenn auch geblendet, in die mächtige Helligkeit. Leben hieß sie und verjagte den Tod.

War es die Zugluft, welche genau, wie sie die Lichtflamme nicht verlöschte, sondern anblies, daß sie sich flackernd vergrößerte, auch den kleinen Funken von Lebensmut anfachte, so daß auch er flackerte, größer wurde und schließlich hell aufbrannte?

Noch war keine Stetigkeit in seiner Flamme, aber nach und nach würde das Aufzucken, das Verlöschenwollen vergehen, der runde vollkommene Strahlenkranz, eines Lebenslichts wahrlich, würde den blau und goldenen Kern der sanften Lichtfrucht umgeben.

Jedenfalls war das erste, was sie tat, daß sie die graue Schnur, dieses böse Werkzeug, sorgfältig um Daumen und kleinen Finger der linken Hand, die Schlingen kreuzend, aufwickelte, dem Bündchen dann noch eine ordentliche Taille schnürte, sein Ende befestigte und es in den Blechkasten zurücklegte.

Den Goldfaden hatte sie so lange über ihre Knie gelegt, jetzt hielt sie ihn beinahe andächtig und suchte hinter dem Kanonenofen den Tannenast hervor, welchen sie gestern aufgelesen hatte zum Verbrennen. Er war noch frisch, sie steckte ihn in eine Flasche mit Wasser, und an seine Spitze knüpfte sie den Goldfaden und band eine zierliche Schleife.

Sie lächelte nicht mit dem Mund, aber es war eine Sanftheit in ihr, auch eine Art neue Wärme, obwohl es noch immer klamm und kalt in der Stube war und obwohl der Mund fest zusammengepreßt blieb, lächelte sie doch. Ihr Herz, ihr vom fürchterlichen Vorsatz erlöstes Gemüt lächelte die Goldfadenschleife an. Dann nahm sie ihren Rucksack und begab sich auf die Holzsuche.

Was sie bewog, auf dem Weg zum Park durch diese Straße zu gehen, die sie noch niemals gegangen war, ist nicht festzustellen.

Vielleicht trieb sie es, das neugewonnene Leben auf einem neuen Weg spazierenzuführen. Da hatten sich auch lauter neue Läden aufgetan, ein Uhrmacher mit Silberleuchtern und gar keinen Uhren im Schaufenster, ein Geschäft mit Handtaschen aus den sonderbarsten Ersatzstoffen. Dann kamen Lebensmittel- und Seifenläden, ein Schuster mit dem üblichen Schild „Reparaturen werden vorläufig nicht mehr angenommen", eine neue Fleischerei! Die pries, vorsorglich die gute Zeit vorwegnehmend, auf ihrem frisch gemalten Schild Schinken und Wurstwaren sowie Schweine-, Kalb-, Rind- und Hammelfleisch an. Jetzt lachte sie wirklich. Schwein, Kalb, Rind und Hammel. Gulasch aus viererlei Fleisch, und die Mutter pflegte einen Schuß Rotwein anzugießen und ein Stück Brotrinde und eine dicke Mohrrübe mitzuschmoren, von der vielen Zwiebel gar nicht zu reden –, das Wasser lief ihr im Mund zusammen. Das war einmal, geblieben waren nur die Brotrinde und die Mohrrübe, aber schließlich, wenn die Behörde dem Fleischermeister ein solches Schild zubilligte, mußte sie ja annehmen, daß einmal die Anpreisung wahr werden würde. Schwein, Kalb, Rind und Hammel – sie hungerte plötzlich sehr. Doch dann dachte sie an den Goldfaden und ging weiter und blieb am nächsten Laden stehen, um sich abzulenken.

Sieh einmal einer an! Hier war also bereits eine freundlichere Zukunft zur Gegenwart geworden, hier gab es Puppen, richtige Puppen in allen Größen. Sie hatten zwar nur Stoffgesichter, und die hätte man auch sorgfältiger und hübscher bemalen und besticken können, aber es waren doch Puppen! Sie hatte viele Puppen angezogen in ihrem Leben und auch Rümpfe genäht und gefüllt. Ehe sie Paramenten stickte, war sie in einer Puppenfabrik beschäftigt gewesen. Das, was die hier machten, konnte sie auch zuwege bringen und netter und ansehnlicher. Und wie teuer würden die Puppen wohl sein, wie unverschämt teuer . . .

Sie trat in den Laden.

Was kosten denn die Puppen, fragte sie den älteren Mann, der hinter dem Verkaufstisch stand. Er war vielleicht Anfang sechzig und sah ein bißchen brummig aus.

Ganz verschieden, sagte er, sah sie an und schien sie nicht als Käuferin einzuschätzen, denn es fiel ihm nicht ein, ihr einen Preis zu nennen oder ein Stück seiner Ware aus dem Fenster zu nehmen und ihr vorzulegen.

Ich war nämlich früher in einer Puppenfabrik, sagte sie bescheiden, und dann – etwas herzhafter: Man kann das nämlich viel netter machen!

So, erwiderte er, plötzlich sehr aufmerksam, kam um den Ladentisch herum, könnten Sie das besser machen? fragte er.

Ja, sagte sie, und auch ordentlicher.

Er gab ihr recht: Manchmal sage ich auch, es sind die richtigen Lumpenpuppen, und dafür soll man der Kundschaft ein Heidengeld abnehmen . . .

Man könnte sie auch mit Sägespänen füllen, wie früher, überlegte sie nachdenklich und befühlte einen weichen Puppenleib, denn jetzt hatte er sich entschlossen, ihr eine aus der bunten Gesellschaft in die Hand zu geben.

Sägespäne wären zu beschaffen, gab er zur Antwort, ebenso nachdenklich.

Ich heiße Grollmus, sagte er plötzlich und machte eine Verbeugung, und jetzt kam der schreckliche Augenblick, an dem sie ihren Namen nennen mußte, den sie auch satt hatte, wie alles andere, über den die Leute lachten oder sich das Lachen verbissen.

Ida Miefert, murmelte sie unglücklich.

Sehr erfreut, sagte Herr Grollmus, gab ihr die Hand – und sie – sie war auf einmal wieder ein Mensch, nicht ein Packen Elend und Verzweiflung, eine Lumpenpuppe des Daseins, geflickt und gestopft von oben bis unten, ihr stellte man sich vor – sehr erfreut, ach, sie war auch sehr erfreut.

Ich werde Ihnen einmal etwas sagen, Fräulein Miefert, begann Herr Grollmus, sich räuspernd, eine längere Rede. Machen Sie mir Puppen, fangen sie morgen schon an, ach was, fangen Sie gleich an. Er sprach noch eine Weile von Materialbeschaffung, Stromsperre, Ladenheizung, der Karte 3, ihrer Entlohnung, dann führte er sie in den rückwärtigen Raum, der groß war und warm, was einem guten Füllofen zu verdanken war. Es standen viele Kästen auf Regalen, voll von Flicken und bunten Resten und Seidenbandenden. Vertrauter Geruch wehte ihr entgegen, der Appretur, des Leims, der Farbe. Es standen drei Säcke da, mit Werg, Kapok und Holzwolle gefüllt.

Zum Ausstopfen, sagte Herr Grollmus, dann zeigte er ihr Draht, auf Rollen und Watte zu Nikolausbärten und dünne Hölzchen und Pappe und glitzerndes Pulver für den beschneiten Weihnachtszauber, der nächstens entstehen sollte.

Sie nahm ein wenig vom künstlichen Schnee zwischen zwei Finger, so wie man eine Prise Salz nimmt, atmete tief ein, die herrliche warme Luft dieses Raumes, die für sie gewürzt war von allen Gerüchen der guten, lange verlorenen Arbeit.

Verloren? Wiedergefunden doch!

Ich werde zuerst ein Rotkäppchen machen, sagte sie, und dann geschah es, daß Lächeln ihr bekümmertes Gesicht, welches farblos zwischen Jugend und Alter von lebendiger Verwandlung vergessen schien, besiegte und sogar auf der mürrischen Faltigkeit des Herrn Grollmus einen Widerschein hervorrief.

Wenn sie die Ladentür hinter sich abschloß, so gegen einhalbsieben Uhr, lauerte die novembernasse Straße ihr nicht mehr auf, wie der Feind, der sich mit Dunkel und Fieberfrost und menschlicher Heimtücke verbündet hat, sondern gab ihr ordentliches Geleit.

Man findet hier schon ganz schön seinen Weg, nicht wahr – sagte die Straße mit jedem Lichtschein aus Schusters und Fleischers und Bäckermeisters Schaufenster – gelt, das war ein ganz guter Tag heute, und jetzt troll dich rasch nach Hause, denn auf dich wartet auch noch ein ganz guter Abend.

Wenn sie aber bei der Rückkehr von der neuen Arbeit ihre eigene Tür aufschloß und Licht machte, empfing sie nicht mehr die Unfreundlichkeit ihres Zimmers, sondern das Blitzen der Goldfadenschleife.

Der Tannenast hielt sich frisch, er nadelte noch nicht, sie gab ihm täglich neues Wasser, denn er war für sie zum wichtigen Träger des Gewichtigsten ihres neuen Daseins geworden.

Sie dachte nicht „Symbol“, ihr Denken war Einfalt und kannte nur das Schwarz und Weiß und das Rechts und Links, und doch war dieser Goldfaden nicht mehr und nicht weniger für sie, als das himmlische Zeichen ihrer Wiedergeburt. Er hatte ihr das holde Lied eingegeben mit seinem mächtigen, aus der Wurzel erinnernder Unschuld sich ewig erneuernden Trost.

Er hatte ihr die graue Schnur aus der Hand gewunden und sie zum Puppenladen geleitet. Er führte sie an jedem Abend durch

Dunkelheit zurück, und wie er, den sie nie hergeben würde, aus reinem Golde gesponnen war und nicht schwärzlich und unansehnlich werden konnte, so würde auch, glaubte sie zu wissen, ihr Gemüt nicht mehr häßlich werden, schwärzlich und umdunkelt, absinken in das sich gänzlich Aufgeben.

Man konnte sagen, daß sie den Goldfaden liebte, wie eines die Sterne liebt, den guten Mond, den Sonnenstrahl.

Was die Puppen betraf, so hatte sie jetzt zwei junge Zuarbeiterinnen sitzen, und manches, das Nähen der Rumpfschläuche zum Beispiel, wurde in Heimarbeit gegeben.

Niemand konnte die bunte Schar im Schaufenster noch Lumpenpuppen nennen. Teuer waren sie nach wie vor, das würde sich auch nicht ändern, solange Material nur zu den unredlichsten Überpreisen zu haben war, aber die Leute bekamen doch etwas recht Ansehnliches und Haltbares für ihr gutes Geld, ein reelles Spielzeug sozusagen, das unnütze kleine Hände nicht so leicht zerstören konnten, und die Kundschaft und der Zulauf wuchs.

Wie der Goldfaden zu Haus bei ihr, glänzten Kinderaugen, wenn ein Rotkäppchen im Fenster stand oder ein dunkelhäutiger Indianer oder Nikolaus persönlich, als es auf den sechsten Dezember zuging, weißbärtig, rotgewandet, festgeleimt auf einem mit Glitzerschnee bestäubten Rund.

Es kamen auch Bestellungen, absonderliche zuweilen, zum Beispiel brachte jene elegante Dame ein Großmutterbild in breiter Krinoline und wünschte eine genaue Kopie dieser Tracht in Form einer Teepuppe.

Sie (Fräulein Ida Miefert) war allem gewachsen! Sie lächelte nicht nur, sie strahlte manchmal geradezu wie ein mittägliches Sonnenrund, Herr Grollmus staunte – sowohl (was er laut sagte) über ihre Fingerfertigkeit und ihr Sich-Rat-Wissen, besonders bei dem Problem der Teepuppe, als auch über die Verwandlung, die sich an ihrem Wesen und Äußeren vollzog (was er aber für sich behielt). Er nannte sie jetzt nicht mehr Fräulein Miefert, sondern Fräulein Ida, und das war ihr sehr angenehm.

Die Bestellung, die sie zum erstenmal ratlos fand, war eigentlich der reizendsten eine. Schneewittchen nämlich sollte als Puppenkind auferstehen aus Überlieferung und Märchenbuch und mütterlichem Geschichtenspinnen in der Dunkelstunde.

Schneewittchen in weißem Atlas – die Bestellerin hatte eine altmodische Brauttaille mitgebracht – und mit einem Krönlein auf dem Kopf.

Das Kind wäre achtjährig, sagte die Mutter, und sehr krank, es wäre überfahren worden . . . Aber bestimmt mit Krönlein, hätte es gesagt, doch sie hätte leider nichts Goldenes zu Hause finden können.

Es wurde eine sehr schöne Puppe, dieses Schneewittchen, sein Haar war aus schwarzer Kunstseide, und zum erstenmal hatte Ida Miefert versucht, das ausgestopfte Puppenhaupt aus Trikot und Wattefüllung mit Wachs zu bestreichen und ein Gesicht zu modellieren.

Was Sie nicht alles können, sagte Herr Grollmus und sah ihr zu, aber das konnte sie gar nicht recht vertragen! Es machte sie unsicher und verlegen, noch unsicherer, als sie ohnedies schon war, weil etwas ihr im Kopf herumging, sie quälte und Gedankengänge verursachte, denen sie ausweichen wollte, und die mächtiger waren als Ausflucht und Selbstbeschwichtigung und sich nicht abweisen ließen.

Ich habe schon nach etwas Goldenem gesucht, fuhr Herr Grollmus fort, aber es ist nicht mehr ein Schnippselchen in den Kästen.

Nein, sagte sie und wurde rot.

Nein, in den Kisten und Kasten hier war kein Gold!

Nicht Faden, nicht Band, nicht Flitter mehr, nicht Perlchen oder zitternde Kantille. Sie hatte auch keine Bronze zum Bemalen eines Pappkrönchens.

Wo nichts ist, hat der Kaiser das Recht verloren, stellte Herr Grollmus achselzuckend fest.

Ja, sagte sie.

Die Zeit war knapp, das Fest war nähergerückt. Manchmal schien es ihr im Arbeitswirbel, als ob ihre, Ida Mieferts Hände, für alle im Höllenspiel verlorengegangenen Puppen – die verbrannten, gestohlenen, verschütteten, vergessenen – neue zu machen hätten, haltbare und widerstandsfähige, damit zugleich mit ihnen behütete Kindheit neu erstehe.

Das Schneewittchen aber kostete sie am meisten Zeit! Ihm ließ sie Liebe und Sorgfalt in Zier und Saum und Spitzenstich angedeihen wie noch keinem der bunten Geschöpfe vorher, ohne daß dieser Aufwand an Bemühung sie der Gedankenbürde enthoben hätte, welche sie seit ein paar Tagen mit sich herumschleppte.

Am dreiundzwanzigsten Dezember sollte die Mutter des kranken Kindes die Puppe abholen, und Fräulein Ida Miefert mußte sie nach Ladenschluß mitnehmen, um zu Hause die letzten Stiche zu machen – an den roten Samtschuhchen und dem zuckergesteiften Spitzenkragen.

Sie hatte, aber das wußte sie gar nicht, bei jedem Nachhausekommen dem goldenen Glanz am Tannenast zugelächelt. Auch zugenickt dann und wann, wie im geheimen Einverständnis. Mitwisser, Retter, Beschützer! Manchmal fuhr sie mit einem Finger zart an seinen Windungen und Schlingen entlang, zeichnete die zierliche Schleifenkontur nach, ihr Blitzen stückweise beschattend, damit es nachher um so heller leuchte.

An diesem Abend, mit dem verpackten Schneewittchen im Arm, redete sie ihn, den Goldfaden, zum erstenmal an.

Nein, sagte sie und noch einmal: nein!

Denn das kann niemand von ihr verlangen, das wäre so, wie wenn einer auf dem Berge oder auf dem Turm des Seiles und Haltes sich beraubt, gerade wenn unter ihm das Wesenlose und Letzte gähnt.

Nein, sagte sie laut und ein drittes Mal, zum goldenen Faden gewandt, und seine Antwort schien zu sein, daß er an Lichtkraft verlor und erblindete. Denn die Kerze war groß, kein elendes Stümpfchen, welches in den letzten Zügen lag, und ihr Schein genügte durchaus beim Fertigmachen der weißseidenen Puppe.

Dann lag diese wieder in ihrer Hülle aus weichem Papier, und sie lag im Bett, in Dunkelheit und konnte nicht einschlafen. Vom Ofen her glühte es, und letztes Holzscheit knisterte. Sie starrte und wartete, ob es nicht feurig aufglimme, ihr zur Antwort, ein Widerschein der Ofenglut in Schleifenform. Aber blind und dunkel blieb es dort, wo sie, mit dem Raum doch vertraut, den Tannenast wußte, und blind und dunkel blieb sie mit Auge, Herz und Hirn, dabei war sie hellwach und versuchte mit dem Goldfaden – und mit dem Göttlichen auch – zu paktieren und sagte nein und noch einmal nein.

Herr Grollmus fand die Puppe großartig am nächsten Morgen; ein Meisterstück, Fräulein Ida, sagte er.

Die Mutter des kranken Kindes kam.

Sehr schön, sagte auch sie, wunderschön. Dann erzählte sie, daß heute früh die Amputation stattgefunden habe, das rechte Bein bis zum Knie, alles sei gutgegangen, aber das Kind wisse es noch nicht. Dann weinte sie plötzlich furchtbar, in schluchzenden Stößen, und sagte entschuldigend: Sie hat sich nämlich das goldene Krönchen so fest eingebildet, sie ist eine richtige Traumsuse und Märchenliese.

Der Goldfaden, der gestern abend tot und blind gewesen war, ohne Antwort für sie, Ida Miefert, legte sich jetzt um ihr Herz, glühend, in schneidendem, messerscharfem Schmerz zog er sich zusammen, fester, immer fester.

Sie nahm der weinenden Frau die Puppe wieder aus der Hand.

Um sechs, stieß sie hervor, kommen sie um sechs noch einmal – ich will zu Haus noch einmal nachsehen.

Geht es nicht um dreiviertel fünf, sagte die Frau, um fünf darf ich nämlich zu ihr und bleibe heute die Nacht da.

Fräulein Ida Miefert rannte in der Mittagsstunde, ihren überlaufenden Suppentopf auf dem Füllofen vergessend, nach Hause.

Also ja, sagte sie, als sie die Tür aufgeschlossen hatte, laut zu dem Goldfaden. Er blinkte und blitzte aus hundert winzigen Facetten, er war wie eine Schnur aus klaren Sternenfunken gesponnen.

Auf diese Art antwortete er ihr heute, als sie ihn aufknüpfte und losband, behutsam zum Döckchen wickelte, ihre letzte breite Goldsticknadel suchte und so schnell, wie sie gekommen war, das Zimmer verließ.

Im Laden umspann und umstickte sie eine zierliche Form aus Pappe mit dem reinen Gold der Erinnerung. Es war zugleich das Gold der Unschuld, der Rettung, des Trostes, das ihr geglänzt hatte in jener gefährlichen todnahen Stunde, und jetzt gab sie es weiter, auch in Todesnähe, – aber – ist Freude nicht der Genesung verschwistert?

Als sie abends ihre Tür aufschloß, war Furcht in ihr vor der Ödnis und auch ein leises Wehgefühl. Das Letzte vom Früheren . . .

Doch der Tannenast stand lieblich und ohne zu nadeln in seiner Wasserflasche. Er duftete stark, sie rieb eine Nadel zwischen den Fingern und biß hinein, um die Harzwürze richtig zu schmecken.

Und dann sah sie den Goldfaden deutlich! Zur Schleife gebunden, leuchtete er, sie umschrieb mit dem Finger, lächelnd, Tränen in den Augen, die zierliche Kontur.

Wunder der Einbildung nur? Nicht vielmehr Zeichen, Vorzeichen der Weihnacht, die morgen kommen würde mit dem ersten Dämmern und der sie, die Armseligste, heute schon ihre goldene Gabe dargebracht hatte?

St. Niklas' Auszug

Paula Dehmel

St. Niklas zieht den Schlafrock aus,
klopft seine lange Pfeife aus
und sagt zur heiligen Kathrein:
„Öl mir die Wasserstiefel ein,
bitte, hol auch den Knotenstock
vom Boden und den Fuchspelzrock;
die Mütze lege obendrauf
und schütt dem Esel tüchtig auf,
halt auch sein Sattelzeug bereit;
wir reisen, es ist Weihnachtszeit.
Und daß ich's nicht vergess, ein Loch
ist vorn im Sack, das stopfe noch!
Ich geh derweil zu Gottes Sohn
und hol mir meine Instruktion."

Die heil'ge Käthe, sanft und still,
tut alles, was St. Niklas will.
Der klopft indes beim Herrgott an;
St. Peter hat ihm aufgetan
und sagt: „Grüß Gott! Wie schaut's denn aus?"
und führt ihn ins himmlische Werkstättenhaus.
Da sitzen die Englein an langen Tischen,
ab und zu Feen dazwischen,
die den kleinsten zeigen, wie's zu machen,
und weben und kleben die niedlichen Sachen,
hämmern und häkeln, schnitzen und schneidern,
fälteln die Stoffe zu niedlichen Kleidern,
packen die Schachteln, binden sie zu
und haben so glühende Bäckchen wie du!

Herr Jesus sitzt an seinem Pult
und schreibt mit Liebe und Geduld
eine lange Liste. Potz Element,
wieviel artige Kinder Herr Jesus kennt!
Die sollen die schönen Engelsgaben
zu Weihnachten haben.
Was fertig ist, wird eingesackt
und auf das Eselchen gepackt.
St. Niklas zieht sich recht warm an –

Kinder, er ist ein alter Mann –,
und es fängt tüchtig an zu schnein,
da muß er schon vorsichtig sein!

So geht es durch die Wälder im Schritt,
manch Tannenbäumchen nimmt er mit,
und wo er wandert, bleibt im Schnee
manch Futterkörnchen für Hase und Reh.
Leise macht er die Türen auf,
jubelnd umdrängt ihn der kleine Hauf:
„St. Niklas, St. Niklas,
was hast du gebracht?
Was haben die Englein
für uns gemacht?“
„Schön Ding! gut Ding! aus dem himmlischen Haus!
Langt in den Sack! Holt euch was raus!“

Ein Weihnachtsmärchen aus dem alten Berlin

Hanns Fechner

Die Kinder hingen sich an den Arm des Vaters, und dann tönte es einstimmig: „Ach Vater, bitte, bitte, ein Weihnachtsmärchen!" Mäuschenstill saßen sie dann, mit leuchtenden Augen und erwartungsvollen Gesichtern. „Du weißt doch, jede Weihnachten wolltest du uns eins erzählen." – So, wollte ich? Wartet mal! Da muß ich schon einen Augenblick nachdenken . . . Halt! Gerade kommt mir der alte Valentin in den Sinn, der drüben auf dem Dönhoffplatz Weihnachtsbäume verkaufte. Der Valentin mit dem lahmen Bein und der zerschossenen Hand vom Franzosenkrieg anno siebzig her. Nur ein paar Spargroschen hatte er noch zum Leben. Da nahte das heilige Christfest. „Was fange ich nur an?" überlegte er hin und her. Nach langem Nachdenken kam ihm plötzlich ein guter Einfall: Weihnachtsbäumlein will ich besorgen. Die will ich wie ein kleines Wäldchen aufstellen. Da werden viele kommen und sie mir abkaufen, und alle Not hat ein Ende." Aber o weh, ein jedes Mal, wenn er sich auf den Weg machte, sie einzukaufen, waren sie ihm schon von den richtigen Großhändlern vor der Nase weggeschnappt und fortgefahren worden.

So verging gar viel Zeit, und nun war er ganz mutlos geworden, denn morgen war der vierte, der letzte Adventssonntag und übermorgen schon der Heiligabend. Freilich war's die höchste Zeit, denn wie sollten wohl die Weihnachtsengel so rasch noch die Bäumlein schmücken für die Kleinsten? Fast hätte der arme Valentin alle Hoffnung verloren, und recht traurig machte er sich ein letztes Mal auf den Weg. Der führte ihn unendlich weit zum Kottbusser Tor hinaus, immer die Landstraße entlang. Er wollte eben gar zu gern von den ganz richtigen Weihnachtsbäumen holen, und die wuchsen nicht nahe an der Stadt. Die ganz richtigen stehen nur weit draußen, wo das Christkindlein zur Weihnachtszeit wundersam leise in hellem Strahlenglanze durch den Wald wandelt.

O wie war der Weg doch so weit! Viele, viele Stunden lang mußte der arme Valentin das geliehene Handwägelchen hinter sich herziehen, so daß er schier kaum noch mit dem lahmen Bein fort konnte. Es war schon gegen Abend und ganz dunkel geworden, als er endlich sein Ziel erreichte. Da leuchtete der aufsteigende Mond in die Wälder. Wie staunte der Alte die Schönheit der ebenmäßig gewachsenen Bäumchen an. Bald war auch der Förster zur Stelle, und Valentin kramte in seinem Beutelchen nach dem Geld. Aber, o Schrecken, es war nicht genug, um für den geforderten Preis zu reichen. Der alte Förster strich sich bedächtig den langen grauen Bart, tat ein paar Züge aus seiner Pfeife und blickte derweil den armen Valentin aus guten Augen an. „Gebt her, was Ihr da zusammengespart habt“, sagte er gütig, denn der Alte mit dem lahmen Bein und der zerschossenen Hand tat ihm von Herzen leid. „Gebt her, es soll reichen diesmal, weil es Weihnachten ist.“

Glückselig machte Valentin sich nun sogleich daran, die ihm zugewiesenen Bäumchen vorsichtig abzusägen. Froh schlug ihm das Herz, und voller Dankbarkeit blickte er hinauf zum nachtblauen Himmel. Da siehe, all die unzähligen Sternlein huben an zu hüpfen und zu tanzen, als ob sie einen wundersamen Festreigen aufführen wollten. So eigen andächtig wurde dem Valentin zu Sinn in dem Flimmern und Schimmern am Himmel da droben und unten auf den glitzernden Schnee, daß er still die Hände falten mußte.

Alsbald machte er sich wieder an die Arbeit. Stunde auf Stunde verging, und der Schweiß rann ihm von der Stirn, und Arm und Bein begannen arg zu schmerzen. Voller Angst dachte er daran, wie er nur rechtzeitig wieder heimkommen und bis zum anbrechenden Morgen die Fußgestelle noch zusammenzimmern und die Bäumchen hineinstecken müsse. Endlich war er mit der schweren Arbeit fertig geworden. Wie sollte er aber die vielen Bäumchen unterbringen auf seinem kleinen Wagen? Zu seinem Erstaunen merkte er jedoch, wie sie alle eng zusammenrückten und sich ganz dünn machten, so daß alle, alle im Handumdrehen Platz fanden.

Es war schon in der fünften Morgenstunde, als er endlich mühselig keuchend mit seiner Ladung in der Stadt an einer Verkaufsstelle auf dem Dönhoffplatz anlangte. Gerade noch herunterstellen konnte er die Bäumchen und sich in die Wagendecke einwickeln. . . und da schlief er auch schon vor großer, großer Müdigkeit inmitten des Tannengezweiges ein.

Unter den Weihnachtsbäumen befand sich eine besonders schöne große Edeltanne. Die mochte jetzt all das Gestöhne und Gewimmer der kleinen Bäumchen nicht länger mit anhören und hub alsbald zu reden an: „Was ist das für ein dummes Getue! Das bißchen Schmerz vom Absägen läßt sich doch wohl ertragen. Wißt ihr denn nicht, daß wir für das größte Glück auserwählt sind, zu den Menschenkindern als Christbäumchen zu kommen?" – „Christbäumchen! – Christbäumchen!" flüsterte es durcheinander. „Christbäumchen" – und neugierig streckten sie ihre Wipfelchen empor, richteten sich vor Erregung hoch auf und dehnten und reckten die Zweiglein.

„O erzähl' uns, liebe, liebe Edeltanne, wie das ist." –

„Ihr Närrchen", sprach die große Tanne, „Christbäumchen zu sein ist das Schönste, was es auf Erden gibt, bringen wir doch große Freude zu großen und kleinen Menschenkindern."

Ganz überwältigt lauschten die Tannen und Fichten ringsum. „Weiter, erzähl' weiter", baten sie. „Ihr werdet in hellem Lichterglanze erstrahlen, und in euren Zweigen wird Gold und Silber schimmern und funkeln. Und eure Äste werden sich herniederbiegen unter viel süßem Zuckerwerk und Äpfeln und Nüssen für die Kinder. Oben aber auf der Spitze wird ein goldener Stern prangen. Und in eure Pracht wird alt und jung frohen Herzens und mit hellem Angesicht schauen. Doch still! O horcht doch nur! Was ist das für ein süßer Klang?"

Als ob viele hundert silberne Glöcklein zart zusammentönen, so scholl leise ein überirdischer Gesang von weitem her, kam näher und näher. Und siehe, jetzt wurde die Dunkelheit von zauberhaftem Leuchten erhellt! Lichtüberflutet schwebte eine lange Schar lieblicher Weihnachtsengel herbei, und ein jeder hielt nach seiner Größe ein zierlich gefertigtes Fußgestell für die Weihnachtsbäumchen im Arm. Ehe noch die Bäumlein sich von ihrem Erstaunen erholen konnten, hatten die Englein ihre Bänkchen in Sternenform zu Boden gestellt und waren wieder entschwebt.

„Was für gute Englein!" rief dankbar die Edeltanne. „Nun wollen wir uns aber auch nicht lumpen lassen. Frisch ans Werk und hurtig ein jedes an seinen Platz!" Hei, was gab's da für ein Suchen und Springen und Hopsen! Ein jedes wollte zuerst in seinem Bänkchen stehen. Was war das für ein Gekichere und Gelache, bis endlich alles in Ordnung war.

Verwundert rieb sich der alte Valentin, als er im hellen Morgenlicht aufwachte, immer wieder die Augen. Das waren doch seine Bäumchen, die da in Reih und Glied standen! Er erkannte sie genau wieder. Doch ehe er noch recht über das Wunder nachdenken konnte, befand sich schon der erste Käufer wartend vor ihm. „Das Bäumchen hier möchte ich haben. Es schaut zu niedlich aus, mag's kosten, was es will." Kaum war er abgefertigt, als sich Käufer auf Käufer einstellten und Valentin nun alle Hände voll zu tun hatte.

Wie aber klopfte Valentin erst das Herz, als eine glänzende

Hofkutsche mit vier Pferden bei seinem Stand vorfuhr. Der goldbetreßte Lakai hatte auf dem ganzen Platz Umschau gehalten, sprang nun vom Bock und ging schnurstracks auf Valentins große Edeltanne zu. „Dieses hier ist der schönste Baum, den ich sah", sagte er vornehm. „Er ist gerade recht als Weihnachtsbaum für das Prinzeßchen." Würdig drückte er dem Alten ein Goldstück in die Hand und ließ ihn den Baum zur Hofkutsche hinaufheben. Aufgeregt schauten all die anderen Tannen und Fichten zu. Die Edeltanne aber winkte zum Abschied freundlich noch einmal zu ihren Schützlingen hinunter.

Am Nachmittag hatte Valentin all seine Bäumchen bis auf eines verkauft, ein liebes, kleines Ding, das er selber für seine Enkelkinder ausputzen wollte. Er schmunzelte vor Freude im Gedanken an den Jubel der Kleinen. Das sollte einmal eine Überraschung werden! Daheim stellte er es auf sein Tischchen und befestigte die Lichtlein. Wie er das Getrappel seiner Enkelkinder auf den Stufen hörte, steckte er schnell die Kerzen an und ließ das junge Volk herein. Aber als er sich wieder umdrehte, hing der Weihnachtsbaum voll des schönsten Zuckerwerkes. Ganz überwältigt blickten die Kinder in die Wunderpracht, bis sie sich vor Freude an den Händen faßten und singend um das Bäumchen herumtanzten: O du fröhliche, o du selige, gnadenbringende Weihnachtszeit.

Beim Heimgehen bekam jedes Kind eine große Tüte von dem Zuckerwerk des Bäumchens mit. Dann legte sich der alte Valentin zum Schlaf nieder. Wunderschöne Träume kamen zu ihm, und ihm träumte von seinem lieben treuen Bäumchen, das ihm von seiner Freundin im Walde, dem lieblichen Moosweiblein mit dem Goldhaar, erzählte.

Als er am anderen Morgen aufwachte, galt sein erster Blick natürlich seinem guten Bäumchen. Aber er wollte seinen Augen schier nicht trauen, so blitzte und glitzerte es in den Zweigen! Da hingen wirklich und wahrhaftig unzählige echte Gold- und Silberstücke! Alle Sorge und Not des armen Valentin hatte nun ein Ende und. . . wenn er nicht gestorben ist, so lebt er heute noch.

Weihnachten in der Speisekammer

Paula Dehmel

Unter der Türschwelle war ein kleines Loch. Dahinter saß die Maus Kiek und wartete.

Sie wartete, bis der Hausherr die Stiefel aus- und die Uhr aufgezogen hatte; sie wartete bis die Mutter ihr Schlüsselkörbchen auf den Nachttisch gestellt und die schlafenden Kinder noch einmal zugedeckt hatte; sie wartete auch noch, als alles dunkel war und tiefe Stille im Hause herrschte. Dann ging sie.

Bald wurde es in der Speisekammer lebendig. Kiek hatte die ganze Mäusefamilie benachrichtigt. Da kam Miek die Mäusemutter mit den fünf Kleinen, und Onkel Grisegrau und Tante Fellchen stellten sich auch ein.

„Frauchen, hier ist etwas Weiches, Süßes", sagte Kiek leise vom obersten Brett herunter zu Miek, „das ist etwas für die Kinder", und er teilte von den Mohnpielen aus. „Komm hierher, Grisegrau", piepste Fellchen, und guckte hinter der Mehltonne vor, „hier gibt's Gänsebraten, vorzüglich, sag ich dir, die reine Hafermast; wie Nuß knuspert sich's. Grisegrau aber saß in der neuen Kiste in der Ecke, knabberte am Pfefferkuchen und ließ sich nicht stören. Die Mäusekinder balgten sich im Sandkasten und kriegten Mohnpielen. „Papa", sagte das größte, „meine Zähne sind schon scharf genug, ich möchte lieber knabbern, knabbern hört sich so hübsch an." „Ja, ja, wir wollen auch lieber knabbern", sagten alle Mäusekinder, „Mohnpielen sind uns zu matschig", und bald hörte man sie am Gänsebraten und am Pfefferkuchen. „Verderbt euch nicht den Magen," rief Fellchen, die Angst hatte, selber nicht genug zu kriegen, „an einem verdorbnen Magen kann man sterben." Die kleinen Mäuse sahen ihre Tante erschrocken an; sterben wollten sie ganz und gar nicht, das mußte schrecklich sein. Vater Kiek beruhigte sie und erzählte ihnen von Gottlieb und Lenchen, die drinnen in ihren Betten lägen und ein hölzernes Pferdchen und eine Puppe im Arm hätten; und daß in der großen Stube ein mächtiger Baum stände mit Lichtern und buntem Flimmerstaat, und daß es in der ganzen Wohnung herrlich nach frischem Kuchen röche, der aber im Glasschrank stände, und an den man nicht heran könnte. „Ach", sagte Fellchen, „erzähle nicht so viel, laß die Kinder lieber essen." Die aber lachten die Tante mit dem dicken Bauch aus und wollten noch viel mehr wissen, mehr als der gute Kiek selbst wußte. Zuletzt bestanden sie darauf, auch einen Weihnachtsbaum zu haben, und die zärtlichen Mäuseeltern liefen wirklich in die Küche und zerrten einen Ast herbei, der von dem großen Tannenbaum abgeschnitten war. Das gab einen Hauptspaß. Die Mäusekinder quiekten vor Entzücken und fingen an, an dem grünen Tannenholz zu knabbern; das schmeckte aber abscheulich nach Terpentin, und sie ließen es sein und kletterten lieber in dem Ast umher. Schließlich machten sie die ganze Speisekammer zu ihrem Spielplatz. Sie huschten hierhin und dorthin, machten Männchen, lugten neugierig über die Bretter in alle Winkel hinein, und spielten Versteck hinter den Gemüsebüchsen und Einmachetöpfen; was sollten sie auch mit dem dummen Weihnachtsbaum, an dem es nichts zu essen gab! Als aber das kleinste ins Pflaumenmus gefallen war und von Mama Miek und Onkel Grisegrau abgeleckt werden mußte, wurde ihnen das Umhertollen untersagt, und sie mußten wieder artig am Pfefferkuchen knabbern.

Am andern Morgen fand die alte Köchin kopfschüttelnd den Tannenast in der Speisekammer und viele Krümel und noch etwas, was nicht gerade in die Speisekammer gehört, ihr werdet auch schon denken können was! Als Gottlieb und Lenchen in die Küche kamen, um der alten Marie guten Morgen zu wünschen, zeigte sie ihnen die Bescherung und meinte: „Die haben auch tüchtig Weihnachten gefeiert." Die Kinder aber tuschelten und lachten und holten einen Blumentopf. Sie pflanzten den Ast hinein und bekränzten ihn mit Zuckerwerk, aufgeknackten Nüssen, Honigkuchen und Speckstückchen. Die alte Marie brummte; da aber die Mutter lachend zuguckte, mußte sie schon klein beigeben. Sie stellte alles andre sicher und ließ den kleinen Naschtieren nur ihren Weihnachtsbaum.

Die Kinder aber jubelten, als sie am zweiten Feiertage den Mäusebaum geplündert vorfanden und hätten gar zu gern auch ein Dankeschön von dem kleinen Volke gehört.

Das aber lag unter der Diele und verdaute. „Den guten Speck vergeß ich mein Leblang nicht", sagte Fellchen, und Grisegrau biß eine mitgebrachte Haselnuß entzwei; Kiek und Miek aber waren besorgt um ihre Kleinen, die hatten zuviel Pfefferkuchen gegessen, und ihr wißt, liebe Kinder, das tut nicht gut!

Der Weihnachtskasper

Gretel Selig

Vor vielen Jahren, als in Berlin noch der Pferdeomnibus verkehrte, schneite es einmal um die Weihnachtszeit so tüchtig, wie man es lange nicht mehr gewohnt war. Auch am Morgen des 24. Dezember fielen die Flocken unaufhörlich aus dem dunklen Himmel. Im Scheine der Kandelaber, die von den Häusern ihr Licht auf die Straße warfen, tanzten sie besonders vergnügt herum, dort schien es ihnen ausnehmend gut zu gefallen. Sie setzten sich dick und plustrig auf das Verdeck des Planwagens, der, vom Spittelmarkt über die Gertraudenbrücke kommend, in die Breite Straße einbog, der braunen Liese aber zwischen die Ohren und auf das Geschirr, wo sie sich ausnahmen wie Puderzucker auf einem Schokoladenkuchen. Der Schnee lag auf den Mauervorsprüngen des Marstalles, dessen Front sich, ein schwarzer Umriß, aus dem grauen Wintermorgen hob.

Dort hielt der Wagen. Eine Magd, dick eingemummt in ein schwarz-grün kariertes Umschlagtuch, schlang die Zügel des Braunen ein paarmal eng um eine Eisenstange am Kutschersitz und sprang ab. Dann hob sie ein kleines Mädchen vom Sitz. „Nun lauf ein bißchen auf und ab, daß du warme Füße bekommst, so mußt du es machen“, und dabei trappste sie ein paarmal gehörig auf, daß es richtig schallte. Das Mädchen hieß Kathrinchen. Seine Mutter hatte es mit der Magd schon vorausgeschickt, damit diese die Bude mit dem Spielzeug herrichten und alles für den Verkauf auf dem Weihnachtsmarkt vorbereiten sollte.

Der Weihnachtsmarkt! Das war immer eine herrliche Zeit, wenn Kathrinchen mit in die Breite Straße durfte, der Weihnachtstag war aber der schönste von allen, da durfte sie sich von den Spielsachen, die ihre Mutter verkaufte, etwas wünschen. War es am Abend nicht verkauft, so bekam sie es. Im vorigen Jahr hatte sie sich eine Puppe ausgebeten. Einen Porzellankopf hatte sie gehabt und ihre Arme und Beine waren aus Leder. Einen roten Mantel mit einem passenden Hütchen trug sie und ihre langen Zöpfe waren aus echtem Haar und man konnte sie kämmen und flechten. Es war eine Puppe, wie Kathrinchen noch keine gesehen hatte. Am Abend war die Puppe auch richtig noch dagewesen, und Kathrinchen war glücklich und spielte während der ganzen Feiertage nur mit ihr, kämmte und zog sie an, doch am dritten Tag fiel sie auf den Boden und der Porzellankopf ging in

Scherben. Diesmal soll es etwas sein, was nicht so schnell entzwei geht, sagte Kathrinchen zu sich selbst und sah zu, wie aus einem Sack rote Bälle auf den Tisch geschüttet wurden. Ob ich davon einen nehme, er wird fein springen, und hinfallen schadet ihm nicht, oder lieber einen von den Hampelmännern, die eben von der Magd an der einen Standecke aufgehängt wurden? Sie zappeln immer so vergnügt, wenn man an ihrer Schnur zieht! Da war ein Schutzmann dabei, der hatte einen Säbel in der einen und ein großes Schlüsselbund in der anderen Hand. Auch Wagen und Pferde waren noch da, Knarren und ein Hühnerhof. Kathrinchen seufzte ein bißchen. Die Wahl war schwer, doch jetzt, was kam da zum Vorschein? Ihr Herz machte einen Sprung. Aus dem dicken Sack kugelte und hüpfte ein Kasper nach dem anderen auf den Verkaufstisch. Sie lachten blank heraus und knufften sich gegenseitig, um nur ja den besten Platz zu bekommen. Jeder wollte vorn sitzen, um auch etwas vom Weihnachtsmarkt und der Breiten Straße zu sehen, auf der es jetzt langsam lebendig wurde. Einer ganz besonders, mit einer blauen Jacke, roter Hose und roter Mütze, guckte immer zu Kathrinchen herüber, als wollte er sagen: „Du, willst du mich nicht mitnehmen? Was glaubst du, was ich alles für Schnurren und Späße zu erzählen weiß. Da habe ich erst neulich den Teufel mitsamt seiner Großmutter davongejagt. Das war eine Hatz!“ Ja, nickte sie, du sollst mein Weihnachtskasper sein, und dann werde ich mir noch eine Knarre wünschen, damit wir dem Teufel einen tüchtigen Schrecken einjagen können. Sie nickte ihm noch einmal strahlend zu und rannte der Mutter entgegen, die jetzt, bevor die ersten Käufer sich zum Weihnachtsmarkt aufmachten, kam, um die Bude zu eröffnen. Inzwischen war es ganz hell geworden, doch das hatte Kathrinchen über den Kasper gar nicht bemerkt. „Was wünscht du dir heute, Kathrinchen, hast du schon etwas gefunden?“ fragte die Mutter. „Den roten Kasper und eine Knarre dazu, Mutterchen, ja?“ „Gut“, sagte sie, „wenn sie heute abend nicht verkauft sind.“ Denn die Mutter mußte die wenigen Pfennige, die ihr der Erlös des Weihnachtsmarktes brachte, sehr zusammenhalten, um mit ihrem kleinen Mädchen durchzukommen.

Bald drängten sich die Käufer um den Stand, und es wurden immer weniger Knarren, und auch die Gemeinschaft des Kaspers wurde zusehends kleiner. „Ich will ja gerne zu dir kommen“, lachte der Kasper zu Kathrinchen hinunter, die vor Kälte und Aufregung von einem Bein auf das andere trat, „aber wenn mich einer kauft, muß ich mitgehen.“ Jedesmal, wenn ein Käufer an den Stand trat, fühlte sie einen Stich im Herzen, und wurde ihr

Kasper gar von jemand in die Hand genommen, wurde der Stich noch tiefer. „Halt, halt", wollte sie am liebsten rufen, „nicht, das ist mein Kasper!" Aber das durfte sie nicht, da hätte die Mutter böse gescholten, und am Ende hätte es nichts gegeben. Wie glücklich war aber Kathrinchen, wenn die Käufer den Stand wieder verließen, ohne, wie sie meinte, ihren Kasper bemerkt zu haben. Doch dies Glück währte immer nur wenige Minuten, dann begann die Qual von neuem, wenn sich wieder Käufer dem Stand näherten. Die Mutter tat noch einen ganzen Berg von Klappern auf den Verkaufstisch, und Kathrinchen konnte einmal für ein paar Minuten wegsehen und feststellen, was inzwischen auf der Breiten Straße vorging. Vor dem Ermelerhaus stand ein Händler mit einem Bauchladen, der rief immer: „Een Dreia die Knarre und een Sechsa der Hampelmann. Immer heran, meine Herrschaften, alles dreht sich, alles bewegt sich, een Dreia die Knarre und een Sechsa der Hampelmann!" Er war dicht von Menschen umstanden, die eine Knarre oder einen Hampelmann kauften und dann zu einem Mann mit einem roten Fez auf dem Kopfe weiterzogen, der türkischen Honig und Naute verkaufte. Knarrengeräusch und das Ausrufen der Händler füllte die ganze Straße. Der Eckensteher Nante kam in einem Schwarm blaugefrorener Jungen daher, die ihm eine Nase drehten und hinter ihm her einen Spottvers riefen: „Eckensteher Nante, der fiel in die Panke!" Sie johlten und schrien es hinter ihm her. Doch drehte er sich um und faßte seinen Krückstock fester, rannten sie schnell weg und zogen spöttisch den Gummizucker lang, an dem sie lutschten. Nante konnte aber jetzt ruhig seines Weges gehen, ein Drehorgelmann kam, der den ganzen Schwarm mit sich zog. Ein Affe hockte auf dem Leierkasten und drehte sich, wenn der Mann die Kurbel drehte. Er hatte rote Hosen an und eine runde Mütze auf dem Kopf. Unter dem Arm trug er ein Tamburin mit Schellen. Damit vollführte er eine lärmende Begleitung zu den Weihnachtsliedern. Kathrinchen sah den Orgelmann kommen und freute sich. Den Mann und den Affen kannte sie schon von den vergangenen Jahren, sie waren auch immer auf dem Weihnachtsmarkt. Gerade in ihrer Nähe hielt er an und begann zu spielen. Die Jungen blieben stehen, hauchten kräftig in die Hände und pfiffen die Melodie mit. Kathrinchen nickte zum Kasper hinüber: „Was, das ist fein?" Sie suchte in ihrer Tasche nach einem Stückchen Zucker und hielt es dem Affen hin: „Hier, Beppo, und dann mußt du auch tanzen!" Der blinzelte erst faul in die Gegend, als wollte er sich das noch überlegen, doch dann machte er einen Satz, daß die dünne Kette, die ihn halten sollte, entzweisprang, setzte mit einem Sprung auf den Verkaufstisch und ergriff Kathrinchens Weihnachtskasper. Beppo sauste mit dem Kasper über die Dächer der Verkaufsbuden, schwang sich auf einen Baum und blieb dort zunächst einmal sitzen. „Haltet ihn!" rief der Leierkastenmann. „Haltet ihn!" rief auch Kathrinchen. Alle Jungen setzten hinter ihm her. Das war einmal so etwas für sie.

Keinem aber gelang es, den Affen und den Kasper einzuholen, sie hatten inzwischen ein sicheres Versteck aufgesucht und alles war vergeblich. Die Jungen mußten die Jagd aufgeben, denn es war spät geworden und sie mußten wieder nach Hause. In der Breiten Straße brannten schon wieder die ersten Laternen, und im Schloß wurden hinter einigen Fenstern die Weihnachtsbäume angezündet. Kathrinchen saß erstarrt auf einer Kiste neben der Spielzeugbude, die fast leer war. Eine Knarre lag einsam auf dem leeren Verkaufstisch, doch was sollte Kathrinchen jetzt damit, wo doch ihr Kasper, der sie hatte drehen sollen, nicht mehr da war. Wer weiß, wo er sich jetzt befand. Um Kathrinchens Weihnachtsfreude war es geschehen, und ihre Tränen liefen auf ihren Pelzkragen, wo sie zusammen mit den nassen Schneeflocken liegenblieben . „Na", sagte die Mutter, „da brauchst du doch nicht zu weinen, hier ist ja noch die Knarre für dich", und drückte sie Kathrinchen in die Hand. Doch die schüttelte traurig den Kopf. So etwas konnte man nicht erklären, was sollte sie da sagen, das verstanden Große ja doch nicht.

Liese wurde wieder angespannt, die wenigen Dinge, die mitzunehmen waren, eingepackt und Kathrinchen zwischen die Mutter und die Magd auf den Bock gesetzt. Der Wagen rollte wieder dem Spittelmarkt zu. „Hallo, hallo", rief da jemand hinter ihnen, „haltet an!"

Es war der Orgelmann, der hinter ihnen herlief. „Hier bringe ich einen Ausreißer", rief er laut und legte Kathrinchen den Kasper in den Arm. Der blinzelte sie zuerst etwas an, als er Kathrinchens Erstaunen sah. Dann aber schien er zu sagen: „Haben wir das nicht schlau angestellt? Wenn ich dir nicht ausgerückt wäre, hätte mich jemand weggekauft und du hättest mich sicher nicht bekommen!"

Morgen, Kinder, wird's was geben

Altes Berliner Kinderliedchen

Morgen, Kinder wird's was geben, morgen werden wir uns freun!
Welch ein Jubel, welch ein Leben wird in unserm Hause sein!
Einmal werden wir noch wach, heißa, dann ist Weihnachtstag!

Wie wird dann die Stube glänzen von der großen Lichterzahl!
Schöner als bei frohen Tänzen ein geputzter Kronensaal!
Wißt ihr noch vom vor'gen Jahr, wie's am Weihnachtsabend war?

Wißt ihr noch mein Räderpferdchen, Malchens nette Schäferin,
Jettchens Küche mit dem Herdchen und dem blankgeputzten Zinn?
Heinrichs bunten Harlekin mit der gelben Violin?

Wißt ihr noch den großen Wagen und die schöne Jagd von Blei
und die Kleiderchen zum Tragen und die viele Näscherei,
meinen fleiß'gen Sägemann mit der Kugel unten dran?

Welch ein schöner Tag ist morgen! Neue Freude hoffen wir;
unsre guten Eltern sorgen lange, lange schon dafür.
O gewiß, wer sie nicht ehrt, ist der ganzen Lust nicht wert!

Ein Weihnachtsbäumchen fingerhoch

Wilhelm Schmidtbonn

Nie werde ich vergessen ein kleines Erlebnis, das ich an einem Weihnachtsabend in Berlin hatte, vor vielen Jahren, es gab noch nicht einmal Autos. Ich befand mich allein auf meinem Zimmer, lachte über die Sentimentalität, die an diesem Abend die Menschen ergriff und zusammentrieb. Alle meine Studienkameraden waren nach Hause zu den Müttern gereist, ich allein war in Berlin geblieben. Aber, fast heimlich vor mir selbst, sah ich dann doch nach den Lichterbäumen hinter einzelnen Fenstern der andern Straßenseite. Und endlich mußte ich mit Zaubergewalt auf die Straße hinaus, um wenigstens unter Menschen zu sein. Da würde es ja noch viele geben, die einsam wie ich herum gingen und einander mit versteckten Augen die Sehnsucht vom Gesicht ablasen.

Es hatte mehrere Grade Kälte, keinen Schnee, aber ein schneidender Wind bewegte die hängenden Firmenschilder. Sehr wenige Menschen gingen da, es war 9 Uhr abends, und es gab fast mehr Verkäufer und Verkäuferinnen von kleinen Zehnpfennig-Weihnachtsgeschenken, die an den Häuserreihen aufgestellt waren, als vorbeipassierende Fußgänger. Noch um diese Stunde hatten sie die Hoffnung nicht aufgegeben, etwas zu verkaufen. Sie stampften mit den Füßen, bliesen in die Hände, es waren Greise darunter und ganz abgehärmte Frauen. Sie traten manchmal in einen Hausflur, um vor dem Eiswind Schutz zu finden, aber nicht lange, nur eine halbe Minute, damit ihnen ja kein Geschäft entwischte.

Fast alle redeten sie mich an, sie riefen mir schon von weitem zu, sie riefen noch hinter mir her. Ich war verwundert, sie nicht einmal verbittert zu finden, sondern diese Menschen waren so demütig geworden von ihrem armen Leben, daß sie sogar, hier auf der Straße, um 9 Uhr abends, im Frost, mit allergeringster Aussicht auf Verdienst, von einer Art innerer Weihnachtsfreude erfüllt waren – und das war das Ergreifendste.

Eine sehr dicke Frau stand da, das heißt, sie hatte wohl nur so viele Röcke übergezogen wegen der Kälte, denn ihr Gesicht, das oben aus einem blauen Wollkragen heraussah (ich weiß die Farbe noch), war klein und mager. Sie hatte Unkosten gewagt, um den Geschäftsgang zu beschleunigen, und ein künstliches Weihnachtsbäumchen, fingerhoch, aus grüngestrichenem Blech vor sich hingestellt, das sechs winzige, brennende Kerzen trug. Damals waren die Straßen im Verhältnis zu heute dunkel, darum wirkte das brennende Bäumchen schon von weitem wie ein kleines Wunder.

Ich stand davor, um es anzusehen, in einem unvermutet hochkommenden Kindheitsgefühl. Ich lächelte spöttisch, um mein wahres Gefühl zu verbergen. Natürlich wollte ich nur einen Augenblick stehenbleiben, aber die Frau redete mir so lebendig zu einem Verkauf zu, nicht etwa heftig, flehend, klagend, anklagend, sondern vielmehr in einer so witzigen Gesprächigkeit, daß ich länger haltmachte und mich auf eine kleine Unterhaltung einließ, dabei allen Ernstes, magisch hingezogen, einen Ankauf erwog – nicht daß der Preis von zwei Groschen mir Bedenken gemacht hätte, sondern nur die Lächerlichkeit des Kaufs. Doch ich sah mich schon (und das Herz wurde mit seltsam warm) in meinem Zimmer sitzen, das brennende Bäumchen auf dem Tisch vor mir.

Da bewegte sich der Rock der Frau wie von einem unvermuteten Windstoß, und zu meinem Entsetzen kroch unter dem Rock ein Kind hervor. Es war warm angezogen, mit Schal und Wollmütze, war aber doch der Kälte wegen unter den natürlichsten Wärmespeicher, den Rock der Mutter, geflüchtet. Es kam nur mit Gesicht, Schultern und Ärmchen hervor, sah mit einem schnellen Lachen zu mir auf, verschlagen und verträumt zugleich, betrachtete wie ich selbst einen Augenblick das Wunder des brennenden Bäumchens, griff dann, die Gesprächigkeit der Mutter benutzend, schnell nach einem solchen Bäumchen von den drei Dutzend, die etwa da standen, zog es geschwind unter den Rock, verschwand selbst wieder darunter.

Der Atem stand mir still angesichts dieses Elends, das nur um so mehr anpackte, als es ohne Klage war. Ich überlegte schon, alle Bäume mit einemmal zu kaufen, und wieder war es weniger der Betrag, der dafür aufzuwenden gewesen wäre, als die Furcht vor Selbstspott, derartig lächerliche Dinge zu tun.

Ich kaufte also der Frau nur ein einziges Bäumchen ab und zahlte es ihr gut. Sie gab es mir sorgfältig wie einen wertvollen Gegenstand in die Hand, nachdem sie noch einmal mit den verfrorenen Fingern die Festigkeit der winzigen Kerzen versucht hatte. Sie bedauerte dabei, daß sie kein Papier habe zum Einhüllen, aber es sei sogar besser, mit dem unverhüllten Bäumchen zu gehen, damit die Kerzen nicht abbrächen. Wir wünschten uns beide fröhliche Weihnachten, als hätten wir zu Haus wer weiß was für einen Geschenktisch zu erwarten, und ich ging.

Aber nach drei Schritten kehrte ich zurück, um noch eine Schachtel Streichhölzer zu kaufen.

Im selben Augenblick fängt die Frau unten am Rocksaum zu brennen an. Im nächsten Augenblick klettert die Flamme an einer Stelle schon zu den Knien hoch.

Ich stehe angewurzelt, habe das schnelle Gefühl, diese Frau mache sich selbst zu einem brennenden Weihnachtsbaum, mir zur Freude oder zu Geschäftszwecken – bei dem ungewöhnlich schlagfertigen Witz, den sie bisher gezeigt hatte, war das in der fiebrig spukhaften Stimmung dieses einsamen Abends eine fast nicht einmal verwunderliche Annahme.

Aber schon hob die Frau mit einem Tierschrei ihre Röcke hoch, zog das Kind hervor, schleuderte es mit einer lächerlich blitzschnellen Geschwindigkeit fort, daß es mehrere Meter über die Straße glitt wie auf einer Eisbahn, und schlug dann erst die Flamme unter sich aus. In Zeit von einer Sekunde geschah das alles.

Das Kind, im Gleiten, hatte noch sein brennendes Bäumchen in der Hand behalten, sah erschreckt, verwundert und schon auch wieder ein wenig lachend zur Mutter hoch, die es beinahe zu einem lebendigen Weihnachtsbaum gemacht hätte. Und während ich die Frau umdrehte und ihr nach allen Seiten den verbrannten und hier und da noch glühenden Saum abriß, mußten wir beiden Erwachsenen auch schon mit dem Kinde lachen und nach seinem Bäumchen hinsehn.

Ein Kind, frierend, hatte sich in seiner eigenen kleinen, warmen, dunklen Welt unter dem Rock der Mutter sein eigenes kleines Weihnachtsfest gerichtet, das nur einen Augenblick dauern konnte. Aber vielleicht hatte es in diesem einen Augenblick mehr Wunderglanz erlebt als die Tausende reichen und verwöhnten Kinder der Stadt.

Bohème-Weihnacht

Paul Enderling

Martin Melcher, der Maler, zirpte auf seiner Gitarre und sang halblaut den Schlußvers des sentimentalen Kabarettliedes von der dritten Rose: „Sie fiel in Kot, in Kot und Tod hinein – – Und war die allerschönste von den drei'n."

Alle vier summten die letzten Worte mit und versanken dann in Schweigen.

Draußen war Weihnachten: Berliner Weihnachten.

Draußen.

Da sagten es die hastigen, paketbeladenen Menschen auf den Straßen, die schreienden Anpreisungen der hungernden, verfrorenen Kinder, die Hampelmänner verkaufen wollten, die Tannenwälder, die jäh aus dem Straßenpflaster emporgewachsen waren – diese ganze Symphonie von Glanz, Freude, Frommheit und Geschäftssinn, die am Fest der Wintersonnenwende mit wirbelndem Takt dahinrauscht.

Die vier, die in dem kleinen, bunt und bizarr ausgestatteten Stübchen hockten, merkten nichts davon oder bemühten sich doch, nicht hinzuhören.

Die Reste eines üppigen Menüs türmten sich auf. Bratenfragmente, Lachsfetzen ließen sich sehen. Halbvolle Gläser stritten sich mit Tellern, aufgeklappten Taschenmessern, Zigarren und Zigaretten um den Platz. Nur die viereckigen gemütlich dreinschauenden Likörflaschen beherrschten einstweilen das Schlachtfeld.

Einstweilen. Denn nun griff Zelewski, der einmal Theologe gewesen war und jetzt als „Privatgelehrter" das Berliner Adreßbuch zierte, nach der Zunächststehenden und goß sich einen Danziger Kurfürsten ein. Einen großen natürlich. Einen „kleinen Kurfürsten" kannte er ebensowenig, wie die loyale Geschichtsschreibung einen solchen kennt.

„Es ist ein gutes Rezept, verehrte Zeitgenossen, daß man vor einem Schnaps einen Schnaps und nach einem Schnaps einen Schnaps trinken muß. Sonst bekommt er nicht. Das hat mir mal ein Medizinmann gesagt, der meine volle Hochachtung und mein uneingeschränktes Vertrauen genoß. Ich schenke euch dies Rezept. Ich bin heute in der Gebelaune."

Dabei spülte er einen Benediktiner herunter und ließ ihm einen Kümmel folgen. Sein faltiges kleines Gesicht war ausnahmsweise stark gerötet und der ergrauende Schnurrbart mit den weißen

Stoppeln auf Kinn und Wangen markierte sich deutlicher als sonst. Seine runden, scharfen Augen hinter den Brillengläsern blitzten.

„Meine Frau singt jetzt bei ihrer verheirateten Cousine Sti–hi–le Nacht. Es ist zum Schießen . . . Übrigens seht ihr auch ziemlich stumpfsinnig drein, wißt ihr? Ihr seid eben auch angesteckt von dem Weihnachts-Bazillus."

„Unsinn!" fauchte Jens Peter Pronitz, der Dichter der „Silbernen Katze". „Ich z. B. tue etwas, was dir fremd ist: ich denke nach."

„Und natürlich über ein Drama."

„Beinahe, Professorchen."

„Ach, laß die Regiebemerkung!" Zelewski schien sich über den Titel zu ärgern.

„Über ein Lustspiel."

„Sehr originell!" höhnte der Lyriker aus der Sofaecke.

„Diesmal ist es wirklich etwas, was noch nie da war – etwas, wonach sich alle die unsauberen Finger belecken werden, alle Theaterdirektoren, die es aufführen und Millionen damit verdienen."

„Natürlich!"

„Ruhig, Palettmeister! Sonst dulde ich nicht, daß du bei der 50. Auflage der Buchausgabe auf Kaiserlich-Japan-Papier den Buchschmuck zeichnest."

„Ruhig!" mahnte nun auch Zelewski.

Pronitz setzte sich kreuzbeinig auf den Bettvorleger und sagte mit Feierlichkeit eines Muezzin, der vom Minarett aus zum Gebet ruft: „Also: es wird die Komödie des Schnapses. Es gibt da einen Herrn Whisky, Fräulein Anisette, Onkel Bommerlunder, Großpapa Steinhäger –"

„Ich liebe den Onkel", unterbrach ihn der Lyriker.

„Bitte, geniere dich nicht. Alles, wie ihr seht, joviale, gemütliche, brave Seelen. Und der Schuft des Stücks –"

„Gibt's sowas in einer Komödie?"

„In dieser ja! Also: der Schuft, der Intrigant, der Schwarze, Verächtliche, der Schurke –"

„– der Verleger, der Rezensent? –"

„Kurz und gut, der Schwerverbrecher heißt Aqua! Auf deutsch, für die, die es unter euch nicht übersetzen können: Wasser."

„Pfui Teufel! Nieder damit! An die Laterne mit ihm! Oder vielmehr – auf die Bühne. Was auf dasselbe herauskommt, da es ja mit bürgerlichem und geistigem Tode eng verwandt ist. Im übrigen – auf das Gedeihen deines Plans!"

Zelewski goß sich nach diesem Begeisterungsausbruch wieder einen Kurfürsten ein und war im Begriff, ihm einen Kümmel nachfolgen zu lassen. Aber Martin Melcher legte sich ins Mittel.

Er hatte schon längst mit wachsendem Ärger dieser Verschwendung zugeschaut. Seiner sparsamen, vorsichtigen, zartfühlenden Natur widersprach dieser andauernde Versuch, sich auf gemeinsame Kosten betrinken zu wollen.

„Du mußt mal bißchen pausieren, Verehrtester."

Zelewski wollte ihm wütend eine gutgeformte Grobheit oder eine scharfgeschliffene, giftgetränkte Bosheit zuwerfen, als es klopfte.

Der Lyriker, der der Türe zunächst saß, öffnete.

Draußen stand Frau Kuhnert, Pronitz' Wirtin, und hielt ein kleines Tannenbäumchen in der Hand.

„Es ist eben – entschuldigen Sie man – hier abjejeben. Für den Herrn Doktor."

„Für mich?" fragte Zelewski unverfroren.

„Nein, für Herrn Pronitz."

Pronitz stand auf und untersuchte den Baum. Es waren Lichter daran, ein paar bunte, geschmacklose Kugeln und Figuren und Wattetupfen, die wohl den Schnee markieren sollten. Aber kein Lebenszeichen dabei. Nichts. Nichts.

„Schmeiß es 'raus", gröhlte Zelewski.

„Wir sind kein Pastorenkonvent. Laß dich nicht weich und mürbe machen, o Dichter!"

„Wer hat es gebracht, Frau Kuhnert?"

Sie war nicht zu Hause gewesen. Nur ihr Fritz. Dem hätte es eine Dame für den Herrn Doktor gegeben.

Ob sie hübsch gewesen war?

Davon verstand ihr Fritz noch nichts. Gott sei Dank. Und im übrigen hätte sie zu tun und wünsche vergnügtes Fest.

Damit war sie fort, und der Komödiendichter drehte den Baum verlegen in der Hand.

„Was macht man nun bloß mit dem Gestrüpp?"

„Da es von einer Dame ist, kannst du es nicht zurückweisen", sagte der Maler sehr bestimmt. „Und schließlich stört es ja auch nicht!"

Mit Stimmenmehrheit wurde beschlossen, das „Gestrüpp" zu behalten und es auf den Vertikow zwischen die dort aufgestapelten Bücher und Broschüren zu setzen.

Dort stand es nun und trug – so klein es war – einen ganz feinen leichten Duft vom Walde in die wüste Bohèmestube . . . von dem märkischen Walde, der jetzt verschneit und voller blitzender Kristalle in tiefem Schweigen stand . . . und zum klaren, dichtbesternten Himmel seine Arme reckte . . .

Zelewski schimpfte auf alle Sentimentalität im allgemeinen und auf dies konfuse Fest im besonderen, das nicht germanisch, nicht christlich, nicht hebräisch sei. Es sei nur neudeutsch, preußisch. Vernünftige, kultivierte Nationen wüßten nichts von solchen Absurditäten. Und er selber könne beim besten Willen keinen persönlichen Standpunkt zu dem Sohn von „Bettelheim" finden.

„Bettelheim" wiederholte er paarmal. Das Wort gefiel ihm. Er goß sich darauf den Likör ein, der ihm vorher verwehrt worden war.

Aus irgendeinem Stockwerk her klangen Weihnachtslieder. Gedämpft. Melancholisch. Falsch. Wie hastiges Singen furchtsamer Kinder im Dunklen . . .

Nun waren sie alle still und horchten.

Nach einer Weile sagte Pronitz, wie aus tiefem Traum heraus: „In dieser Zeit roch es bei uns immer nach Kuchen und Tannen. Und meine Schwester hatte Stickereien auf den Gabentisch gelegt . . . Tränenden Auges . . . Denn sie waren nicht fertig geworden . . . Sie wurden nie fertig." Und in sein geliebtes Hamburger Platt verfallend, sagte er leise, müde lächeln: „Littje Söte!"

Der Lyriker trommelte auf den Tisch. „Manchmal habe ich zu Hause in Labiau den Kuchen mit eingerührt und die Rosinen hineingesteckt und den Kardamom."

„Kardamom? Unsinn! So was nimmt man nicht zum Kuchen", erklärte Pronitz kategorisch.

„Aber natürlich!" fuhr der Lyriker empor. „Ich schmecke es ja noch auf der Zunge."

„Das würde jedes Gebäck um seinen eigenen Geschmack bringen. Du verwechselst es wahrscheinlich mit Sukkade oder etwas anderen."

„Ich denke nicht dran."

Eine ganze Weile lang stritten sich die beiden Poeten um das Problem des Kardamom.

Zelewski lachte heiser.

Martin Melcher war noch ernster geworden als er ohnehin von Natur war.

Wo war seine Kindheit gewesen? Er kannte nur ein müdes, kränkliches, verweintes Frauengesicht, das sich über ihn neigte und das ihn geküßt hatte. Bis zum siebenten Jahr. Da kam er zu Fremden und in die Schule und erfuhr zu seiner schmerzlichen

Verwunderung, daß auf ihm ein Makel läge; er hatte keinen Vater.

Wo war seine Kindheit gewesen? Er hatte sie nie gespürt. Nur gearbeitet. Erst in der Schule. Hart angespannt. Denn sein Kopf war nicht hell und brauchte Stunden zu Dingen, die andere in Minuten erfaßten. Dann im Kampf um die Kunst, die ihm Herzblut gekostet hatte. Und ob er auch, glücklicher als mancher Kollege, einen schützenden Mäzen gefunden hatte, – immer war er gequält von einer unbegründeten, undefinierbaren Furcht vor der Zukunft: Vielleicht ein Erbteil aus der Zeit her, da ihn die Mutter in Angst und Sorge getragen.

Wo war seine Kindheit gewesen??

Er ging zu dem Baum, steckte die Lichter an, ohne daß ihn einer daran hinderte und sagte: „Bitte, Jens Peter, lies was vor!"

Pronitz sah in verwundert an und wollte mit einem Scherzwort erwidern. Aber er bekam es nicht fertig und griff nach den Büchern.

Unter den roten Heften des Montagblatts „Glocke", dem sie alle nahe standen, lagen die Bücher aufgestapelt, die sich der Dichter in guten Zeiten gekauft. Stirner? Nein, das paßte heute wohl nicht. Ibsen – Conradi – „Das Lied der Menschheit" – Bleibtreu – Hauptmann – Zolas „Germinal" – – Da kam ihm der Zarathustra in die Hand; und als er ihn durchblätterte, kam ihm das Kapitel vom „Baum am Berge" vor die Augen.

Er schob die Lampe näher und las langsam die feierlichen Worte bis zu dem Schluß, der wie Orgelgebraus ist:

„Aber bei meiner Liebe und Hoffnung beschwöre ich dich: wirf den Helden in deiner Seele nicht weg! . . ."

Ein Lichtchen nach dem andern erlosch . . . Ein Tannenzweig brannte, knisterte, vergoldete sich mit dem Gold der Funken, knisterte noch einmal, sprühte Asche herab und verglomm.

In das beinahe ängstliche Schweigen sprang plötzlich die Stimme Zelewskis:

„Wir haben ja ganz die Würste vergessen, die teuren Frankfurter Würste zu dreißig Pfennig das Stück."

Melcher sah ihn resigniert an. „Du kannst nichts ernst nehmen, wie?"

„In Berlin ist nichts ganz ernst zu nehmen. Weihnachten auch nicht."

„Na ja. Im übrigen hat er recht. Die Würste sind wirklich vergessen. Wer hat denn noch Appetit?"

Alle verzichteten.

„Dann morgen zum Katerfrühstück", schlug Melcher vor.

Aber Pronitz fuhr freudequiekend auf. „Ich weiß was Besseres als dies verächtliche Aufsparen. Auf Wiedersehn!“ Und zur Verwunderung seiner Freunde war er im nächsten Moment barhäuptig zur Türe hinaus und man hörte ihn die Treppe herunterspringen.

Nach einer Weile kam er zurück, von tosendem Beifall begrüßt; unter seinem Arm trug er ein kleines zottiges Bündel, das sich bei näherer Betrachtung als ein Hund legitimierte.

„Der Friseur von unten hat ihn mir abgelassen. Er jaulte und mietzte. Er, d. h. der Hund. Das Borstentier protestierte auf diese Art, als ich ihn mit gebührender Feierlichkeit zum Feste einlud.“

Der Lyriker, der Kenner war, untersuchte das Tier auf Flöhe.

Melcher rief ihn bei dem selbstgewählten Namen „Butzi“.

Zelewski gröhlte ihn an: „Hundsvieh, miserables, wirst raus?? Ks – Ks – such' Kätzchen – such' – Ks – Ks –“

Pronitz aber hockte wieder auf dem Bettvorleger und sagte mit seiner Muezzin-Stimme: „Gib mir zum Gruß deine biedere Rechte, wackerer Vierfüßler!“

Der Hund sah ängstlich von einem zum andern.

Er war nicht schön. O nein. Aber man konnte ihn keiner bestimmten Rasse zum Vorwurf machen. Er war eine konzentrierte Hundeausstellung. Und er schien Gemüt zu besitzen und blinzelte verständnisvoll zu dem grünen Bäumchen hin.

Als er sah, daß Melcher die Würste daran befestigte, brachte er sogar seinen Schwanzstummel in schwingende Pendelbewegung.

Bevor er die Würste erschnappen durfte, mußte er eine lange Festrede Pronitz' über sich ergehen lassen, die in die Behauptung ausklang: „Ihr Hunde seid doch bessere Menschen.“ Dann fuhr er aber rücksichtslos in das Grün, sich unbedenklich die Schnauze durchlöchernd, riß die Würste ab und schlang, schlang, als hätte er den ganzen Appetit des ganzen Jahres für diese eine Mahlzeit aufgespart.

Pronitz behauptete, daß er anschwölle.

Als er mit allem fertig war, sah er sich mit bescheidener Neugier nach anderen Delikatessen um und er versuchte dabei, ein harmloses, verbindliches Lächeln in sein haariges Gesicht zu legen.

Es mißglückte aber.

„Ja, ja“, sagte Pronitz. „Weihnacht erhält die rechte Weihe doch erst durch eine Bescherung.“

Darin stimmten ihm alle bei und Zelewski goß sich zur Bekräftigung einen Benediktiner ein.

Schöppke oder Das Salz des Lebens

Richard Klaus

Schöppke, der entschlossen war, den „Rummel“ nicht mitzumachen, erschrak, als es klingelte. Nur zögernd näherte er sich seiner Wohnungstür, um durch den Argus zu spähen. Das Gesicht da draußen, dessen Augen sich hinter einer dicken Brille verbargen, war ihm fremd. Das Klingeln wiederholte sich, während Schöppke seitlich an der Flurwand lehnte. Laß ich ihn ein, sagte er sich, lautlos die Lippen bewegend, ist es mit meiner Ruhe vorbei, verzichte ich, ihm zu öffnen, könnten mir vielleicht interessante Dinge entgehen.

Schöppkes Mißtrauen kam nicht von ungefähr. Seit eine Zigeunerin ihn um einen erklecklichen Batzen erleichtert hatte, entdeckte er in jedem Menschen nur noch den Frevler. Und als Bibliothekar a. D. hatte er sich so vollends dem Buch zugewandt, daß seine Bücher ihm die Gegenwart eines Menschen völlig ersetzten. Aber zum ersten Mal seit langem spürte er nun die Qual eines Privatiers, der zwischen Neugier und Verzicht dahinschwankt und sich immer mehr gedrängt fühlt, der Neugier nachzugeben.

Er riß die Tür auf und stellte sich so, daß niemand an ihm vorbeihuschen konnte. „Was wünschen Sie, bitte?“ fragte er höflich.

Der Bebrillte machte einen unsicheren Eindruck. Er verflocht seine Finger und entknotete sie wieder und versteckte sie schließlich, die Arme verschränkend. „Ich wohne hier direkt nebenan . . .“ stotterte er. „Und?“ frage Schöppke trocken, ohne eine ermunternde Silbe hinzuzufügen.

„Es ist mir etwas peinlich . . .“ stotterte der Bebrillte weiter. „Ich erwarte einige Gäste, aber mir ist das Salz ausgegangen . . .“

„Salz!“ rief Schöppke und hob seine buschigen Brauen. „Sie kommen, um mich nach Salz zu fragen?“ „Ich frage nicht, ich bitte“, sagte der andere: „Salz an sich stellt ja eigentlich kein Vermögen dar, aber die Geschäfte haben seit Mittag geschlossen . . . Man denkt an alles, nur nicht an solche Kleinigkeiten . . .“ „Man muß aber an alles denken“ erklärte Schöppke, nicht ohne Genuß: „Salz, das ist, wie es heißt, das Brot des Lebens. Natürlich habe ich Salz. Mir ist es noch nie ausgegangen. Sie wissen offenbar nicht, daß Salz noch vor wenigen Jahrzehnten in gewissen Landstrichen unserer Erde mit Gold aufgewogen wurde . . .“ Der Bebrillte tat daraufhin etwas völlig Verkehrtes und zeigte damit eine psychologische Schwäche, die nur der Blindheit seines Zorns entspringen konnte. Er zückte sein Portemonnaie, entnahm ihm einen Geldschein und sagte: „Ich bin bereit, dafür zu bezahlen." Schöppke schnitt ihm mit einer kategorischen Handbewegung jedes weitere Wort ab und sagte: „Ich bin nicht zu kaufen. Entweder ich verschenke Salz oder ich gebe gar nichts. Ich habe nie ein Buch verliehen, um Makulatur zu bekommen. Natürlich schenke ich Ihnen das Salz, auch wenn mir Ihr Ansinnen etwas seltsam vorkommt." – „Wieso seltsam?" frage der andere und steckte sein Portemonnaie wieder ein. „Was ist daran so ungewöhnlich, wenn jemand um Salz bittet?" – „Wie heißen sie?" fragte Schöppke, „ich habe Sie nie bemerkt."

Dieses „Ich habe Sie nie bemerkt" klang weniger bedauernd als von oben herab. Es klang so, als hätte er laut gedacht: „Wie könnte man einen Wicht dieser Art überhaupt bemerken? Sie sollten bestrebt sein und sind es wohl auch, so unauffällig wie möglich durchs Leben zu trippeln. Nur menschliche Größe vermag zu schreiten. Der Kopf ergeht sich, während das Gesindel läuft." So verharrte Schöppke, an Erscheinungen wie Homer und Goethe gestärkt, geschult, gekräftigt, auf seinem Parnaß, das menschliche Geschmeiß mit den Facettenaugen eines Rieseninsektes betrachtend.

„Fundus", antwortete der Bebrillte und machte einen angedeuteten Kratzfuß. In diesem Augenblick öffnete sich weiter oben eine Tür. Und da Schöppke auf keinen Fall im Plausch mit anderen angetroffen werden wollte, stellte sich ihm die Frage, was nun zu tun sei. Er hätte den Bittsteller zurückschicken und ihn auffordern können, einige Minuten später noch einmal zu läuten. Doch weil ihm diese Lösung kindisch vorkam, packte er diesen Fundus am Arm, murmelte ein „Nun kommen Sie schon" und zog ihn ins Innere seiner Behausung.

Der Mann sah sich um. Erst einmal drinnen, suchte er die enge Welt seiner Kurzsichtigkeit durch neue Eindrücke zu bereichern. Schöppke, nicht gewillt im Koridor zu bleiben, drängte den Bebrillten weiter nach vorn und in die Küche.

„Sie treffen keine Festvorbereitungen?" fragte Fundus.

„Festvorbereitungen? Sprechen Sie von diesem lächerlichen Rummel, der nur noch dem Namen nach ein ‚Fest' ist? Sind Sie fromm?"

„Fromm? Eigentlich nicht . . ."

„Und trotzdem schicken Sie sich zum Feiern an? Wird es laut werden?"

„Ich denke, daß dies ein leises Fest ist."

„Wenn Sie sich nur nicht täuschen. Leise Feste sind tot."

„Da mögen Sie recht haben, doch bei mir nicht."
„Das beruhigt mich. Haben Sie einen Baum?"
„Nur ein paar Tannenzweige."
„Und unter diesen Zweigen werden sie feiern?"
„Falls Sie dabei sein wollen, sind Sie herzlich eingeladen."
„Nein danke! Man wird mit solchen Leuten wohl kaum über Spinoza reden können."
„Spinoza? Was ist das?"
„Nehmen Sie Ihr Salz und gehen Sie sparsam damit um. Nichts schmeckt scheußlicher als ein versalzener Braten."
Fundus nahm eine kleine Tüte mit Salz in Empfang und machte langsam kehrt. Schöppke starrte ihm nach. „Sie finden den Weg?"
„Ich denke schon. – Und wenn Sie wollen, kommen Sie ruhig mal rüber. Es kommen nur fröhliche Menschen."
Schöppke hockte am Fenster. Er saß da wie eine dicke Taube, die ihren zweiglosen Schnabel am Gebälk der Dunkelheit wetzt. Leer vor sich hinblickend, hielten seine Hände ein aufgeschlagenes Buch, dessen Zeilen er nicht mehr erkennen konnte. Schließlich stemmte er sich hoch, warf einen Blick hinaus und öffnete das Fenster um einen Spalt. Draußen war's stiller als sonst. Das Leben vollzog sich hinter Türen und Scheiben. Es war das Fest der Familien. Schöppke kräuselte die Lippen und fühlte sich unzufrieden, schon weil er sich sagte, daß mit der Zufriedenheit alles endet. Zufriedene Menschen waren ihm ein Greuel. Sie hatten ihren Ruhepunkt gefunden und unterlagen irrtümlich der Meinung, daß man sich nur noch zu sättigen brauche, um das Leben angenehm zu finden. „Tölpel!" murmelte er und ballte die Faust: „Kampf allein zählt, selbst wenn es nur noch Kämpfe mit Schatten sein sollten. Einsamkeit ist alles andere als ein Fluch. Nur in der Einsamkeit ist den Dingen auf den Grund zu kommen." – Welchen Dingen eigentlich? War es ein Irrtum zu meinen, daß Lektüre nur Ersatz, nur Surrogat für etwas Wichtigeres sei? Nein! Er knipste das Licht an, hob das Buch und wollte gerade die Lektüre fortsetzen, als es erneut klingelte. Er schüttelte den Kopf und murmelte: „Und wenn sonstwer persönlich davor stehen sollte . . . Ich öffne nicht!" – Trotzdem klappte er das Buch zu, stand auf, ging auf den Korridor und rief: „Was ist? Wer ist da?"
„Ich"
Schöppke erkannte die Stimme des Bebrillten. Was wollte dieser Fundus erneut? Warum ließ er nicht nach, ihn mit Kleinigkeiten zu behelligen? Brachte er etwa das restliche Salz zurück, ob

wohl er es ihm doch ausdrücklich geschenkt hatte?

Schöppke blickte an sich herab. Seine Hosen waren ausgebeult, sein Morgenrock verblaßt. Die ledernen Pantinen sahen aus wie gehäutete Gurken, die in ein Teerfaß gesteckt worden waren. Zum ersten Mal fand Schöppke sich schäbig und wenig attraktiv. Zum ersten Mal vermißte er den Nadelstich seiner alt gewordenen, seine Launen geduldig hinnehmenden Amme, die einen Hauch von Ordnung um sich verbreitete. Doch hätte er es je über sich gebracht, wie Händel zu leiden, dessen verwünschtes Weib Heringe in seine Notenblätter eingewickelt hatte? War ein angenähter Knopf wichtiger als ein genialer Gedanke in Form eines Satzes oder eines Notenschlüssels?

Schöppke straffte sich und rief: „Was ist denn nun schon wieder?" Er öffnete die Tür und verzichtete darauf, die Schwelle diesmal wie ein Koloß zu blockieren.

Fundus hielt etwas mit beiden Händen fest und hob es ihm entgegen. „Das sollten Sie wirklich einmal kosten", pries er.

„Kosten? Was ist das?"

„Frikassee auf Reis", antwortete Fundus und spitzte die Lippen.

Schöppke schnupperte, beide Hände auf dem Rücken verschränkt. „Das riecht nicht schlecht", gab er zu.

„Es riecht nicht, es duftet!" verbesserte Fundus.

„In der Tat", stimmte Schöppke bei.

„Nicht wahr?"

„Und das soll ich . . .?"

„Natürlich! Nehmen Sie nur und lassen Sie es sich schmecken. Gelegentlich hole ich die Terrine zurück." Schöppke, der es nicht über sich brachte, „Danke" zu sagen, nickte und versuchte, sich gleichgültig zu geben: „Wir werden sehen."

Schöppke bedauerte, nicht mehr von diesem Frikassee bekommen zu haben. Sein kaum verwöhnter, mehr an Dörrsuppen geschulter Gaumen empfing die herrlichen Fleischstücke umso dankbarer, je ausgiebiger er ihnen entsagt hatte. Der Gedanke an ‚mehr' verdrängte die erhabensten Vergleiche. Welchen Lüsten hatte er sich verschlossen, wievielen offenen Freuden die Kapuze der Ablehnung über die Ohren gezogen?

Seine Lippen leckend, betrat er sein Arbeitszimmer, schaltete alle verfügbaren Lampen ein und vermied es, wieder Platz zu nehmen. Er hätte keine Ruhe gefunden. Prüfend, an den Regalen auf und ab gehend, musterte er die Titel der langen, eng gestellten, zum Teil verkanteten und gepreßten Bücher, zwischen deren Buchdeckeln sich womöglich je zu einem Drittel menschliches Geschwätz und menschlicher Irrtum verbargen. Und irgendwie mehrte sich in ihm die Erkenntnis, seine ganze Existenz verfehlt zu haben. In seinen Augenwinkeln fühlte er den Anflug von Tränen. Er ertappte sich sogar dabei, auf ein erneutes Klingelzeichen zu warten. Er wartete nicht nur. Er lauerte. Auf irgendwas.

Und plötzlich war das Mädchen wieder da, jenes seltsam verblaßte Mädchen, das ihm irgendwann, vor zwanzig, dreißig oder vierzig Jahren wie ein Falter über den Weg geflattert war, scheinbar hilflos, scheinbar gewillt, sich an ihn zu klammern, ganz und gar, mit Haut und Haar. Er hatte sich verächtlich abgewendet. Damals. Den großen Köpfen zu, den Denkern, der zwiespältigen menschlichen Erkenntnis. Was konnte er nun? Glauben? An was? Und an wen, zum Henker! Er hatte nie geglaubt, sondern immer nur gezweifelt. An sich. An anderen. An jedem. Und nun? Wie alt war er eigentlich? Und welche geheimnisvollen Säfte waren ihm vom Schicksal, von der Vorsehung oder wie immer man dies Übermächtige nennen mochte, verordnet worden? Welch Elexier war ihm unter die Haut geträufelt worden, um ihn so bloß, so hochtrabend und so infantil zu machen? Herrgott nochmal! Warum schellte es nicht abermals? Diesmal würde er nichts abschlagen. Er würde den Bebrillten hereinbitten und ihn fragen, was mit hinübergenommen werden könnte, um dieses verwünschte Fest ein wenig zu gestalten. Einfach einmal einfach sein. Einfach einmal dumm sein dürfen. Er kannte die Philosophen, die das Alter priesen. Diese schopenhauerschen Gesichter mit ihren nach unten gebogenen Mundwinkeln. Was hatten ihre Erkenntnisse ihnen eingetragen? Noch heftigere Zweifel? Warum lachte er nicht? Und zwar umso mehr, je weniger Grund er zum Lachen hatte. Da hörte er Stimmen und Schritte.

Schöppke sprang auf, rannte auf den Korridor hinaus und schob die runde Schutzscheibe des Spions zur Seite. Da kamen sie die Treppe herauf, die Gäste offenbar, einige festlich gekleidete Damen darunter. Er hörte leises, heiteres Lachen, dann eine keineswegs feierliche Begrüßung. Und der bebrillte Fundus, den er vor Neid in Grund und Boden wünschte, wirkte wie ein vollendeter Gastgeber. Trotz seiner Kurzsichtigkeit mußte er sein Leben offenbar genossen und die Unzulänglichkeit menschlicher Erkenntnistheorien früh genug erkannt haben.

Schöppke wankte ins Schlafzimmer, warf sich aufs Bett und wollte schlafen, nichts als schlafen. Aber das gelang ihm nicht. Lange starrte er auf den Schrank. Dann erhob er sich, musterte sich im Spiegel und begann sich umzukleiden. Schließlich stand er im dunklen, ein wenig zu eng gewordenen Anzug da und zog den Bauch ein. Quer über das Chemisett des noch leidlich weißen Hemdes liefen einige störende Falten. Die Fliege würde das Manko kaum verbrämen können. Deshalb wählte er einen breiten Schlips mit roten Punkten auf gelbem Grund, der eigentlich nicht zum Habitus paßte. Damit fertig, ging er ins Badezimmer und kämmte sich. Sein hageres Gesicht lugte ihm aus dem Spiegel wie das eines besessenen Asketen entgegen. Er versuchte zu lächeln und schnitt Grimassen. Seine leidlich erhaltenen, etwas gelb gewordenen Zähne wirkten wie die eines alten Raubtiers, langgezogen und Bein für Bein schon ziemlich aus dem Zahnfleisch hervorgetreten. Ich bin ein Pferd! Ein Klepper! dachte er und ging unschlüssig ins Wohnzimmer, jederzeit bereit, die Einladung anzunehmen, falls sie ihm nochmals angetragen würde.

Behutsam klopfte Schöppke bei Fundus und spürte, wie das intakte Herz sein Blut den Schläfen entgegenschleuderte. Er wagte nicht zu klingeln, weil das schrille Geräusch vielleicht jemanden erschrecken könnte. Er klopfte nochmals und beugte sich dabei vor, um zu lauschen. Überall im Haus waren Stimmen. Gelegentlich hörte er Lachen. Manchmal gab es ein leichtes Gepolter, als wenn Stühle gerückt wurden. Schließlich gab er es auf, trat zurück und blieb im Treppenhaus stehen. Er beugte sich über das Geländer und starrte in den matt erhellten Schacht hinab. Weit unten sah er das abgeschabte Mosaik der Fliesen, von abertausend Schritten verschrammt. Die Haustür quietschte. Jemand kam die Treppe herauf. Er blieb wo er war und sah dem Ankömmling entgegen. Sein Hunger nach einem Wortaustausch war maßlos gewachsen.

Ein junges Mädchen grüßte ihn lächelnd und wandte sich dann der fundus'schen Wohnungstür zu. Als das Mädchen klingelte, trat Schöppke einen Schritt zurück. Fundus öffnete persönlich und bemerkte auch ihn. „Ich . . ." stotterte Schöppke, „ich nahm an, daß der Besuch für mich sei . . ."

„Für Sie? Erwarten Sie welchen?"

„Nun, so ganz ohne Besuch bin ich zu Weihnachten meistens nicht."

„Das freut mich, Herr Schöppke. Das freut mich für Sie. Aber solange Ihr Besuch noch ausbleibt, kommen Sie doch ein bißchen rüber."

„Wirklich?"

„Warum denn nicht? Was meinen Sie, Babette?"

Das Mädchen drehte sich um und sah ihm voll ins Gesicht. Schöppke blickte flatternd zur Seite.

„Sind Sie nicht der Herr Schöppke, von dem meine Mutter sich gute Bücher empfehlen ließ?"

„Wie? Ihre Mutter?"

„Immer, wenn ich Ihren Namen hörte, war ich neugierig zu erfahren, ob Sie es wirklich gibt."

„Ich bin es", sagte Schöppke. „Aber das ist schon lange her."

„Der gute Herr Schöppke hätte fast vergessen, daß heute Heiligabend ist", meinte Fundus. „Es ist nicht gut, zu lange allein zu sein. Oder doch?"

„Es zieht erbärmlich!" rief jemand von drinnen. „Tür zu!"

„Gehen wir doch endlich hinein", sagte Fundus und machte eine einladende Handbewegung.

„Ich kann doch nicht einfach . . ."

„Nur keine Scheu", sagte Fundus und stieß ihn leicht vor sich her. „Nur keine Scheu!"

Durch die offene Wohnzimmertür konnte Schöppke schon einige Personen erkennen, die ihm erwartungsvoll entgegensahen. Schöppke nickte, während er fieberhaft dachte: Um Gotteswillen, nur nichts Tiefschürfendes jetzt! Lieber abwarten und dann etwas Nettes sagen, wenn man gefragt wird. Nur keine geistigen Kraftakte. Je natürlicher man sich bewegt, desto besser. Laut sagte er: „Ich hoffe, nicht als Eindringling empfunden zu werden. Da mein Besuch bisher ausgeblieben ist, schätze ich es umso mehr, ein bißchen Geselligkeit zu finden. Man muß abgelenkt werden von sich selbst, in diesen Tagen, wirklich . . ."

„Aber so alt sind Sie doch noch gar nicht", bemerkte lächelnd eine Dame. „Eigentlich müßten Sie mich wiedererkennen, Herr Schöppke", sagte eine andere und rückte einen Stuhl neben sich zurecht. „Sind Sie die Mutter von diesem Mädchen?" – Schöppke nahm Platz. Und dann rannten die Stunden, bis irgendwann von irgendwoher „Oh du fröhliche. . . " erklang, in das einige der Anwesenden einstimmten, nicht ohne dabei gelegentlich auf Schöppke zu blicken. „Oh du fröhliche. . . ", das ging ganz leicht, wenn man nur wollte.

„Mein Besuch ist nun doch nicht gekommen", sagte er zu Fundus, als er sich an der Tür von ihm verabschiedete. „Vielleicht kommt er morgen, ersten Feiertag." „Wenn sie wollen, kommen Sie ruhig mal wieder rüber. Das Salz ist übrigens restlos aufgebraucht worden."

„Ich habe noch mindestens ein Pfund davon."

Drüben, bei sich, löschte er das Licht, kaum daß er Platz genommen hatte. Er hätte sowieso nicht schlafen können und bedauerte nur, daß alles so schnell vorübergegangen war. Er empfand wie ein Kind, das unersättlich ist. Am liebsten wäre er aufgebrochen zu neuen, unerhörten Taten. Er genoß sogar die Kluft, in die er sich gesteckt hatte, sogar das Hemd mit dem rauhen Kragen, der seinen Nacken wundgerieben hatte. Geselligkeit war ein Zauberwort, auf das er in Zukunft nicht mehr verzichten wollte. Langsam, fast feierlich suchte er im Dunkeln unter seinen wenigen Platten ein passendes Stück hervor, ein Konzert. Ein Konzert von Corelli. Als die ersten Takte ertönten, lehnte er sich zurück und schloß die Augen. Irgendwann klang durch die Wände „Stille Nacht. . . " dazwischen, etwas blechern klingend, irgendwoher, aber doch „Stille Nacht . . ."

Ich steh an deiner Krippen hier

Paul Gerhardt

Ich steh an deiner Krippen hier,
O Jesulein, mein Leben,
Ich stehe, bring und schenke dir
Was du mir hast gegeben.
Nimm hin, es ist mein Geist und Sinn,
Herz, Seel und Mut, nimm alles hin,
Und laß dirs wohlgefallen.

Da ich noch nicht geboren war,
Da bist du mir geboren,
Und hast mich dir zu eigen gar,
Eh ich dich kannt, erkoren.
Eh ich durch deine Hand gemacht,
Da hat dein Herze schon bedacht,
Wie du mein wolltest werden.

Ich lag in tiefer Todesnacht,
Du wurdest meine Sonne,
Die Sonne, die mir zugebracht
Licht, Leben, Freud und Wonne.
O Sonne, die das werte Licht
Des Glaubens in mir zugericht:
Wie schön sind deine Strahlen!

Ich sehe dich mit Freuden an
Und kann nicht satt mich sehen,
Und weil ich nun nicht weinen kann,
So tu ich was geschehen.
O, daß mein Sinn ein Abgrund wär
Und meine Seel ein weites Meer,
Daß ich dich möchte fassen!

Wenn oft mein Herz im Leibe weint
Und keinen Trost kann finden,
Da ruft mirs zu: ich bin dein Freund,
Ein Tilger deiner Sünden;
Was trauerst du, mein Fleisch und Blut?
Du sollst ja haben guten Mut.
Ich zahle deine Schulden.

O, daß doch ein so lieber Stern
Soll in der Krippen liegen!
Für edle Kinder großer Herrn
Gehören güldne Wiegen.
Ach! Heu und Stroh sind viel zu schlecht;
Samt, Seiden, Purpur wären recht,
Dich Kindlein drauf zu legen.

Nehmt weg das Stroh, nehmt weg das Heu,
Ich will mir Blumen holen,
Daß meines Heilands Lager sei
Auf Rosen und Violen,
Mit Tulpen, Nelken, Rosmarin
Aus frischen Gärten will ich ihn
Von oben her bestreuen.

Du fragest nicht nach Lust der Welt,
Noch nach des Leibes Freuden:
Du hast dich bei uns eingestellt,
An unsrer Statt zu leiden,
Suchst meiner Seelen Trost und Freud
Durch allerhand Beschwerlichkeit,
Das will ich dir nicht wehren.

Eins aber, hoff ich, wirst du mir,
Mein Heiland nicht versagen,
Daß ich dich möge für und für
In, bei und an mir tragen.
So laß mich doch dein Kripplein sein,
Komm, komm und lege bei mir ein
Dich und all deine Freuden!

Zwar sollt ich denken, wie gering
Ich dich bewirten werde:
Du bist der Schöpfer aller Ding,
Ich bin nur Staub und Erde.
Doch bist du so ein lieber Gast,
Daß du noch nie verschmähet hast
Den, der dich gerne siehet.

Weihnachten bei Theodor Mommsen

Adelheid Mommsen

Weihnachten! Schon Tage vorher wurde der Auftrag erteilt, den Baum zu besorgen. Das war ein wichtiges und nicht immer dankbares Geschäft, das meist einen der Brüder traf. Mein Vater legte größten Wert auf eine schöne, gerade gewachsene, volle Tanne, die auf der Erde stehen und ohne Stern und Aufsatz bis zur Dekke reichen mußte. Gar zu teuer durfte sie auch nicht sein. Da galt es, Berlin abzusuchen und weise zu handeln, sonst fand man wohl – wie es einem der Brüder geschah – den seiner wenigen Zweige beraubten Baum als elenden Strunk mit daran hängenden Geschenken auf dem Platz, an dem der eigene Weihnachtstisch zu stehn pflegte; während eine prächtige vom Vater heimlich besorgte Tanne im Lichterschmuck prangte. Als Kinder merkten wir natürlich nichts von diesen und anderen Vorbereitungen: da war das erste sichere Anzeichen des nahenden Festes ein Kästchen mit vorjährigen Pfefferkuchen, die unsere sparsame Mutter sorglich verwahrt und dann vergessen hatte. Sie schmeckten uns trotz ihres Alters lange Zeit prächtig; aber schließlich baten wir doch, sie uns lieber im Januar frisch zu geben, anstatt sie zehn Monate hindurch im Schrank, nicht weit von Kampfer und Naphthalin, aufzuheben.

Dann kamen häufige Stadtfahrten der Mutter mit Herrn Otto, dem getreuen Droschkenkutscher. Ein großer Reisekorb verschwand im Schlafzimmer der Eltern, um am 24. früh heimlich ins Weihnachtszimmer und mit unendlichem Papier gefüllt nach Stunden wieder herausbefördert zu werden. Die riesige Reisetasche, mit schönem Kreuzstich-Blumen-Muster, fuhr mit in die Stadt, und wie durch ein Wunder flog bei der Rückkehr ein Mehlweißchen oder eine Pfeffernuß heraus. Schließlich war das Vorderzimmer eines Tages verschlossen. Das waren sichere Anzeichen, und es galt, sich mit den Weihnachtsarbeiten zu beeilen. Die Decke für die Mutter, der französische Aufsatz für den Vater oder die Strümpfe für die Brüder mußten ja fertig werden. – Diese Strümpfe! – wiederholt haben wir fünf Schwestern zusammen mit der Mutter einen Bruder bestrickt; das machte dann ein halbes Dutzend Paar schöner wollener Socken, und dann saß der Bruder unter dem Weihnachtsbaum und suchte an der Art des Strickens herauszubringen, wie die Schwestern und die Strümpfe zueinander paßten.

Im Alter von vierzehn oder fünfzehn Jahren durften wir am

23. Dezember zum Baumputzen über die gewohnte Bettzeit hinaus aufbleiben. Dann saßen die Eltern still für sich in der „Grünen Stube“ nebenan. Wir Schwestern zogen die langen Ketten aus bunten Glasperlen neu auf, untersuchten die Fäden der Einzelkugeln und steckten die Lichter ein. Die Brüder schmückten den Baum, nachdem unter Hinzuziehung des Vaters die schönste Seite herausgefunden und die Aufstellung somit vollzogen war. War alles fertig, so wurde der Vater zur Musterung gebeten und auf seinen Rat noch diese oder jene Änderung vorgenommen. Im Grunde hatte aber im Laufe der Jahre jedes Stückchen seinen festen Platz: die feine Silberkette oben, die Trümmer der gelbblauen und grün-roten Ketten unten und ganz in der Mitte vorn das ehrwürdigste Stück: der alte Bock, der als Familiensymbol galt. Der Vater hatte ihn an den Baum gehängt, als Karl und Ernst klein waren. Wem von beiden er galt, ist ebenso umstritten wie die „historische Ohrfeige“, von der ich bei dieser Gelegenheit auch gleich erzählen will. Am 2. September 1870 kam der Junge mit dem Ruf nach Haus: „Wir haben schulfrei; Napoleon ist gefangen.“ Mein Vater entgegnete: „Laß Dir doch nicht jeden Unsinn aufschwatzen!“ und gab dieser Mahnung den nötigen Nachdruck. Zeit ihres Lebes haben sich die Brüder um diese Heldentat im Dienste des Vaterlandes gestritten.

Zurück zum 23. Dezember! Während des Baumputzens waren die „Teller“, die weißen Perlrandteller aus dem Haushalt der Urgroßmutter Reimer, zurechtgemacht, die Hildebrandschen Pfefferkuchen und gar das Selbstgebackene genau abgezählt und jedem zwei oder drei Stückchen Konfekt zugeteilt worden. Dann wurden die Tische für die große Familie, zu denen der für die drei Hausmädchen kam, zurecht gemacht. Über die auf Stühle gelegten Tischplatten wuchsen wir schnell hinaus; der Schreibtisch der Mutter, die Pfeilertische und Notenschränke mußten herhalten und dieser und jener Tisch aus den Schlafzimmern herbeigeschafft werden. Das runde Florentiner Marmortischchen war dem Vater reserviert und nahm sich am 24. im Schmuck der Caviartöpfchen, der Hummer und dergleichen recht gut aus. Die große Fußbank dicht vor dem Baum war mit der gleichen Sorgfalt gedeckt. Die Auswahl der Pfefferkuchen, die rohen Eier, die Würstchen und ein neuer Maulkorb deuteten auf den vierbeinigen Hausfreund als glücklichen Empfänger. Das Ei durfte der Lump aber nur in Gegenwart des Vaters verzehren, der sich immer wieder an der gewiß in früher Jugend im Hühnerstall gelernten Kunst des Teckels freute: er nahm das Ei zwischen die Pfoten, machte mit dem Eckzahn ein kleines Loch hinein, das langsam erweitert wurde, und so trank er das Ei aus, ohne ein Tröpfchen davon auf den Teppich zu schütten.

Am 24. Dezember morgens wurde die wohlvorbereitete Weihnachtsstube der Mutter überlassen; nur der Vater hatte noch Zutritt. Wie mochte man die weißgedeckten Tische, auf denen außer dem Teller jetzt nur ein gelbes Wachsstöckchen stand, im Kerzenschein wiederfinden? Wir hatten mit unseren Weihnachtsgeschenken auch alle Hände voll zu tun. Dazu war der Heringssalat zu schneiden, der zum Abend und mindestens für die Feiertagsfrühstücke reichen sollte. Viel Zeit zum Mittagbrot blieb nicht, das mußte schnell bereitet und gegessen werden können. So gab es an dem Tag, – dem einzigen, an dem der Küchenzettel kein Kopfzerbrechen machte, – dicken Reis. Ich glaube, das ist bei allen Geschwistern heute noch so; jedenfalls ist der Offiziersmesse eines deutschen Kreuzers in Ostafrika an einem 24. Dezember „dicker Reis" vorgesetzt worden.

Gegen Abend ging man daran, den Weihnachtstisch der Mutter aufzubauen, was im Eßzimmer geschah. Eine große Lampe-Kaufmann-Sendung: Kolonialwaren, Essig, Öl, Fleischextrakt bildete einen erheblichen Bestandteil; auch die persönlichen Geschenke für die Mutter waren fast ausschließlich praktischer Art. Für die Jugend war das selbstverständlich ebenso: Kleidungsstücke, Handschuhe, Briefpapier ließ man sich immer wieder gern schenken, und auf keinem Tisch fehlte das Buch.

Gegen sechs oder sieben Uhr kam der Vater herunter, prüfte sehr sorgfältig den Aufbau für die Mutter und verschwand – wohl zur letzten Inspektion – im Weihnachtszimmer. Wir Kinder versammelten uns im Eßzimmer und machten in früheren Jahren wohl den Versuch zu singen. Bald erschallte aus dem geheimnisvollen Zimmer die Stimme der Mutter: „Seid Ihr alle da? Ruft die Mädchen!" – Die große Doppeltür ging auf, und der Baum strahlte uns entgegen. Zu allererst wurde Mutters Tisch hineingetragen und mitten ins Zimmer gestellt. Dann hieß es, die Kleinsten oder doch die Jüngsten voran! Was nun folgte: Bewunderung, Freude, Dank ist wohl in allen deutschen Weihnachtsstuben das Gleiche.

Der Baum durfte nicht zu lange brennen; er wurde ausgepustet, um noch mehrmals angezündet werden zu können, vierzehn Tage später zu Ehren einer Kindergeburtstagsfeier zum letzten Male zu brennen und dann geplündert zu werden.

In den Feiertagen – manchmal gelang es, einen dritten zu erbetteln, – waren wir fast nur im Weihnachtszimmer, spielten mit den neuen Spielsachen, den von der Mutter und den Schwestern frisch eingekleideten Puppen, lasen die neuen Bücher oder strickten um die Wette die Wunderknäule auf, die uns noch Riesenspaß machten und zu unendlichen Neckereien Anlaß gaben, als wir schon längst die Kinderschuhe ausgezogen hatten.

Wir waren aber kaum erwachsen, als die Weihnachtsfeiertage noch einen besonderen Inhalt bekamen: es galt, die Sylvesterfeier vorzubereiten. Das war ein eigenartiges Fest! Es war wohl eine aus dem großelterlichen Hause übernommene Sitte, den Abend mit einer Kartenlotterie zu begehen, bei der allerlei Kleinigkeiten zu gewinnen waren und einige bestimmte Geschenke als Julklapp herumgingen, bis sie an die richtige Adresse gelangten. Das war kein sonderlich geistreiches Spiel und genügte meinem Vater bald nicht mehr. So wurde eines Tages die Parole ausgegeben: Hans gewinnt einen Bimsstein, jeder im Haus hat dazu einen Vers zu liefern, der beste wird preisgekrönt. Schwer war die Aufgabe nicht, und auch der Unpoetischste fand den nötigen Reim auf Stein. Den Preis erhielt die Mutter für den Vers:

> Wenn einer von den Meinigen
> Bisweilen ist ein Schweinechen,
> So kriegt er dieses Steinechen,
> Damit er sich kann reinigen.

Von da an wurde es üblich, zum Sylvesterabend die Schandtaten sämtlicher Familienmitglieder zu besingen, und der Vater half tüchtig mit. Er verlangte, auch selbst zu gewinnen, viel zu gewinnen und vertrug jede Neckerei, wenn sie in mehr oder weniger schlechten Versen vorgetragen wurde. Da kamen die gern gesehenen spanischen Zwiebeln, der nach all dem guten Futter des Festes willkommene Rettig; feine Stiefelchen, die wie die letzthin gekauften zwar kniffen, aber den Fuß schlank machten; ferner ein Gedicht an den „Namenlosen“, das der Mutter aus einer immer wieder empfundenen Verlegenheit helfen sollte: mein Vater liebte seinen Vornamen Theodor-Gottesgabe nicht, und das „Du, du“ paßte schließlich auch auf andere. Wie lebendig stehen die lustigen Stunden und die alten schönen Zeiten vor uns, wenn uns die gesammelten Sylvesterverse in die Hand fallen!

Weihnachten damals bei uns daheim

Hans Fallada

Überall, wo Kinder sind, ist das Weihnachtsfest schön, ich finde natürlich, zu Haus bei uns war es am allerschönsten! Das Hauptverdienst daran trägt sicher der Vater, er hatte eine so liebenswürdig geheimnisvolle Art, unsere Erwartung zu steigern, uns ein bißchen zu foppen und zu necken.

In Berlin halten die Weihnachtsbäume zeitig ihren Einzug auf Straßen und Plätzen. Dann fangen wir Kinder an, Vater zu drängen, daß er auch einen Baum besorgt. Zuerst verschanzt sich Vater dahinter, daß das überhaupt nicht seine Sache sei, sondern die des Weihnachtsmanns. Natürlich kommt er damit bei uns nicht mehr durch, selbst Ede glaubt nicht mehr an diese Figur, seit beim letzten Fest Herrn Markuleits, unseres Portiers, Schuhe unter Vaters umgedrehten Gehpelz erkannt wurden. Nein, Vater soll machen und einen Baum kaufen. Auf dem Winterfeldtplatz gab es die schönsten.

Schließlich versprach Vater, sich umzusehen, in diesen Tagen habe er aber nicht recht Zeit dafür. Doch wir ließen nicht nach mit Drängen. Schließlich ging Vater, und wir alle erwarteten seine Rückkehr mit Spannung. Natürlich kam er leer zurück. Das hatten wir auch nicht anders erwartet, denn Vater kaufte nie etwas sofort. Er erkundigte sich erst überall, wo er es am billigsten bekäme. Aber Vater kam auch recht niedergedrückt heim: die Weihnachtsbäume waren in diesem Jahre unerschwinglich teuer! Er hatte uns doch recht verstanden, wir wollten wieder einen Baum vom Fußboden bis zur Decke –? Nun also, so etwas hatte er sich schon gedacht, aber solche Bäume gab es nicht unter neun Mark, und mehr als fünf wolle er keinesfalls anlegen . . . Wenn wir uns freilich mit einem auf den Tisch gestellten Bäumlein begnügen wollten –?

Wir schrien Protest. Es gelang dem Vater immer wieder, unsere Leidenschaft und unsern Zweifel zu erregen, obwohl sich alljährlich das gleiche Spiel wiederholte. Wir wußten ja, daß Vater wirklich *sehr* sparsam war, es war ja möglich, daß Weihnachtsbäume in diesem Jahre besonders teuer waren!

Von nun an kam Vater fast alltäglich mit neuen Geschichten über Weihnachtsbäume heim. Und diese Geschichten klangen so echt, mit ihren drastischen Berolinismen, daß wir immer sicherer wurden, Vater war wirklich auf der Suche nach einem Tannenbaum, hatte aber noch keinen gefunden.

Er erzählte uns, wie er am Viktoria-Luise-Platz beinahe, beinahe einen herrlichen Baum gekauft hatte, als er im letzten Augenblick merkte, daß die meisten seiner Zweige nicht an ihm gewachsen, sondern in eingebohrte Löcher gesteckt waren. Vater berichtete von windschiefen Tannenbäumen und von solchen, die jetzt schon nadelten, und von krummen Bäumen. Am Bayrischen Platz hatte Vater einen Baum fast schon gekauft, er und der Händler waren nur noch um fünfundzwanzig Pfennige auseinander, da war ein Wagen vorgefahren, eine Damenstimme hatte gerufen: „Den Baum will ich!" und fast aus Vaters Händen wurde der Baum zum Wagen getragen.

Vater tat sehr geheimnisvoll wegen der Käuferin. Er ließ es für möglich erscheinen, daß es vielleicht eine Prinzessin vom kaiserlichen Hof gewesen sei, oder auch eine Hofdame, und er stellte uns vor, daß nun vielleicht des Kronprinzen Kinder mit „unserer Tanne" Weihnachten feierten!

Das versetzte unserer Phantasie einen Schwung, aber es verhalf uns immer noch nicht zu einer Tanne. Und das Fest zog näher und näher. Unser Drängen wurde heftiger. Aber nun wurde Vater plötzlich gleichmütig: er habe diese ewige Lauferei nach Tannenbäumen satt, sie würden auch noch immer teurer. Nein, nun werde er bis zum 24. Dezember warten, wenige Stunden vor dem Heiligen Abend gingen die Händler immer mit ihren Preisen herunter, um den Rest loszuwerden. Freilich riskiere man, daß dann alles fort sei, aber er, Vater, nehme lieber ein solches Risiko in den Kauf, als daß er Wucherpreise zahle.

Wenn Vater so redete, schielte ich immer nach den Fältchen um seine Augen. Sie waren im allgemeinen sichere Anzeiger für Ernst oder Scherz. Aber Vater wußte selbst sehr gut, daß solche Anzeiger in seinem Gesicht saßen, beherrschte oder verbarg sie – kurz, er brachte uns alle in Unsicherheit. Wir suchten die ganze Wohnung ab, wir stiegen auf den Boden und in den Keller, wir fanden keine Tanne, wir verzweifelten.

(Einmal ist es mir bei einer solchen Nachsuche geschehen, daß ich auf Mutters Versteck stieß, in dem sie alle unsere Weihnachtsgeschenke verheimlichte. Ich konnte meiner Neugierde nicht widerstehen und sah sie alle an. Ich habe nie ein kläglicheres, freudloseres Weihnachtsfest als dies erlebt. Ich mußte noch Freude und Überraschung heucheln, und dabei war mir zum Heulen zumute! Von da an habe ich in der Weihnachtszeit meine Augen hartnäckig von jedem Paket, es mochte das harmloseste sein, fortgewendet.)

Also war es ausgemacht und beschlossen, Vater würde den

Baum erst wenige Stunden vor der Bescherung kaufen. Wir waren von Angst erfüllt. Mit Kummer sahen wir die Bestände an Weihnachtsbäumen dahinschwinden, wir flehten Vater an, aber Vater schien unerbittlich.

Dafür hatte er ein neues Spiel erfunden, er ließ uns unsere Geschenke raten. Jeder bekam ein Rätsel auf, wie dieses: „Es ist rund und aus Holz. Aber es ist auch eckig und aus Metall. Es ist neu und doch über tausend Jahre alt. Es ist leicht und doch schwer. Das bekommst du zu Weihnachten, Hans!"

Da konnte man lange raten! Mutter zwar schrie manchmal Weh und Ach. „Das ist zu leicht, Vater. Das muß er ja raten! Du nimmst ihm ja die Vorfreude!"

Aber Vater war seiner Sache sicher, und ich erinnere mich wirklich nicht eines einzigen Males, daß ich ein Geschenk erraten hätte.

Unter all diesen Vorbereitungen nahte das Fest. Am 24. Dezember stand Vater ungewohnt früh auf und zog sich mit Mutter ins Weihnachtszimmer, wie nun sein Arbeitszimmer hieß, zurück. Über Weihnachten ruhte alle Arbeit bei ihm. Da wollte er seine Familie ganz für sich haben. Für alle Fälle versuchten wir die Schlüssellöcher, trotzdem wir Vaters Vorsicht kannten: er verhängte sie immer zuerst. Geheimnisvoll verdeckte Gegenstände wurden durch die Wohnung getragen. Alle lächelten, sogar die meist brummige Minna.

Der Vormittag ging für uns Kinder noch so einigermaßen hin. Meist waren wir mit unsern Geschenken für die Eltern und Geschwister noch nicht fertig. Mit Eifer wurde laubgesägt, kerbgeschnitzt, spruchgebrannt, gehäkelt und gestickt, und was es da alles sonst noch für Beschäftigungen gab, durch die man in damaligen Zeiten die Wohnungen immer mit Scheuel und Greuel anfüllte.

Zum Mittagessen gab es immer Rindfleisch mit Brühkartoffeln. Mutter vertrat den Standpunkt, daß wir uns noch früh genug den Magen verderben würden und vorher nicht einfach genug essen könnten. Nach dem Essen aber stieg unsere Spannung so sehr, daß wir eine Pest wurden, aus lauter Kribbligkeit und Erwartung brachen ständig Streitigkeiten zwischen uns aus. Schließlich jagte uns Vater auf die Straße mit dem Machtwort, nicht vor sechs Uhr nach Haus zu kommen, eher fange die Bescherung doch nicht an.

Meist trennten wir vier Geschwister uns sofort, wenn wir auf die Straße kamen. Die Schwestern gingen für sich, und ich machte mich mit Ede auf, um die schon hundertmal besichtigten

Schaufenster der Spielwarenläden noch einmal anzusehen. Da stellten wir dann fest, was mittlerweile aus den Schaufenstern genommen war, und machten Pläne für das, was wir uns zum nächsten Weihnachtsfest wünschen wollten. Aber die Zeit wurde uns sehr lang, es schien überhaupt nicht dunkel werden zu wollen, und sonst kam die Dämmerung immer so schnell!

Wir gingen und gingen, aber die Zeit verging nicht. Dann kamen wir auf das Spiel, auf den Granitplatten des Bürgersteigs so zu gehen, daß nie auf eine Ritze getreten wurde. Auch durfte man auf jeden Stein nur einmal treten. Gelang es, so bis zur nächsten Straßenecke zu kommen, so wurde ein Lieblingswunsch erfüllt. Dies war also unser Orakel, und es war gar nicht so leicht! Denn manche Steine waren für unsere Kinderbeine sehr breit, auch verlangten entgegenkommende Erwachsene, daß wir ihnen den Weg frei machten, und neben den Granitplatten lag Kleinpflaster – dann ade Lieblingswunsch!

Schließlich war es doch dämmrig geworden. Wir warteten so lange, bis in irgendeinem Fenster der erste Baum brannte, dann stürzten wir nach Haus mit dem Geschrei: „Die Weihnachtsbäume brennen schon überall! Warum geht's denn bei uns noch nicht los?!"

Meist waren die Schwestern kurz vor uns eingetroffen oder kamen gleich hinterher, und meist waren die Eltern dann auch soweit, und wir brauchten nicht länger am Spieße zu zappeln, wie Vater das nannte . . .

Für die letzte Viertelstunde scheuchte Vater auch noch Mutter aus dem Weihnachtszimmer. Er baute ihr noch rasch seine Geschenke auf, auch war es sein eifersüchtig verteidigtes Vorrecht, die Lichter am Baum zu entzünden. In fliegender Hast warf Mutter sich in Gala, wobei sie noch uns auf Sauberkeit und Ordnung prüfte.

Nun versammelten wir uns schon alle erwartungsvoll auf dem Flur, die Herzen schlugen schneller, die Hoffnungen wurden immer ausschweifender. Ich ertappe mich dabei, daß ich vor lauter Aufregung die Fäuste fest geballt habe und immerzu vor mich hinflüstere: „Au Backe! Au Backe! Au Backe!" Auch Edes Lippen bewegten sich stumm, ich weiß schon, er sagt sich noch einmal das Weihnachtsgedicht auf, das er gleich wird deklamieren müssen . . . Nun, in diesem spannendsten Moment, werde ich von Mutter in die Küche geschickt, um die alte Minna zur Eile anzutreiben. Christa ist längst hier . . .

Minna ist noch beim Haarmachen. Ihr dunkles spärliches Haar steht in lauter kurzen Mäuseschwänzchen steil vom Kopfe ab. Jedes Schwänzchen wird sorgfältig mit Ochsenpfotenfett, einer Stangenpomade, eingerieben. Ich flehe Minna an, sich zu beeilen, obwohl ich aus Erfahrung weiß, daß jedes Hetzen bei Minna nur die Wirkung hat, sie noch zu verlangsamen, und kehre zu Mutter zurück, um ihr Bericht zu erstatten. Mutter entscheidet, daß wir auf Minna warten müssen. Aus dem Bescherungszimmer klingt eine rauhe Stimme:

„Seid ihr auch alle artig?"

Wir brüllen begeistert: „Ja!"

Die Stimme fragt weiter: „Habt ihr euch auch alle die Zähne geputzt?"

Wir brüllen ebenso begeistert: „Nein!"

Und die Stimme fragt zum dritten Male: „Seid ihr denn auch alle fertig?"

Wir brüllen eiligst wieder ein „Ja!", aber Mutter fügt hastig hinzu: „Wir müssen noch auf Minna warten!"

„Na, denn wartet man!" ruft die Stimme, und hinter der Tür wird es wieder still.

Aber der Geruch von brennenden Kerzen und Tannennadeln hat sich doch auf dem Flur verbreitet. Unsere Aufregung kann nun nicht mehr höher steigen. Ich tanze auf einem Bein wie ein Irrwisch umher, Ede sieht bleich vor Aufregung aus. Plötzlich geht er, fast finster vor Entschlossenheit, auf Christa zu, nimmt ihre Hand und küßt sie!

Christa wird puterrot und reißt ihm ihre Hand fort. Wir andern brechen in ein verblüfftes Lachen aus.

„Warum hast du das denn bloß gemacht, Ede?" ruft Mutter verwundert.

„Nur so!" antwortet er ohne alle Verlegenheit. „Irgend etwas muß man doch tun, und mir war grade so! Man wird ja verrückt vor lauter Warten!"

Nach diesen abgerissen hervorgestoßenen Sätzchen stellt er sich neben mich und haut mich mit der geballten Faust auf den Bizeps. Alle Vorbedingungen für die schönste Keilerei sind gegeben, aber . . .

Aber da erscheint endlich Minna! Ich finde, ihr glatt an den Schädel geschmiertes Haar sieht nicht anders aus als sonst, darum hätte sie uns wirklich nicht so lange warten lassen müssen!

Mutter ruft: „Vater, wir sind soweit!" und fast augenblicklich ertönt das silberne Bimmeln eines kleinen Glöckchens. Sofort nehmen wir Aufstellung, und zwar ist nach dem Alter anzutreten, was auch genau der Größe entspricht. Wir stehen hintereinander wie die Orgelpfeifen, nur die zu kurz geratene Minna zwischen Christa und der Mutter stört . . .

Die Tür zum Bescherungszimmer fliegt auf, eine strahlende Helligkeit begrüßt uns. Geführt von Ede rücken wir im Gänsemarsch ein. Vater, am Flügel sitzend, sieht uns mit einem glücklichen Lächeln entgegen.

Nach geheiligtem Gesetz dürfen wir weder rechts noch links schauen, wir haben schnurstracks auf den Baum loszumarschieren und vor ihm Aufstellung zu nehmen, nach dem Satz: erst kommt die Pflicht, dann das Vergnügen. Die Pflichterfüllung aber besteht darin, daß Vater nach einem kurzen Vorspiel das Lied „Stille Nacht, heilige Nacht" spielt, nun setzen wir ein, und es wird gesungen. Das heißt, wir sind natürlich nicht wir, ich brumme nur so mit, und auch das gebe ich gleich wieder auf: die klettern ja auf alle Gipfel!.

Unterdes mustere ich den Baum. Jawohl, es ist doch wieder ein Weihnachtsbaum geworden, wie er sein soll, vom Fußboden bis zur Decke. Vater hat uns also doch wieder reingelegt, denn diesen Baum hat er bestimmt nicht erst in der letzten Stunde gekauft! Wo er ihn nur so lange versteckt haben mag?! Im nächsten Jahr falle ich aber bestimmt nicht wieder darauf rein!

Der Baum trägt all den bunten Schmuck, den wir seit unsern frühesten Kindertagen kennen, Gold und Silber, bunte Papierketten, allerlei geometrische Figuren in Rhombengestalt, Vielekke, bei denen jede Seite anders bunt ist, Erzeugnisse unserer Pappklebereien an langen Winterabenden. Dazu uralter wächserner Schmuck noch aus Vaters Elternhaus, zart bemalte Engelchen und vor allem ein Kanarienvogel in grünem Ring, den Mutter jedes Jahr von neuem verbannt wissen will, denn es fehlt ihm die ganze Hinterfront. Aber Vater besteht mit uns Kindern auf seiner Anwesenheit, er gehört zu unsern Weihnachten. Dazu aber trägt der Baum in Fülle bunte Zuckerringe und Brezeln, schwarze Schokoladenfiguren, vergoldete Nüsse. Siehe da, nichts ich vergessen, auch die traditionellen Knallbonbons entdecke ich, mit denen wir bei der Baumplünderung Silvesterabend das neue Jahr einschießen werden!

Der Gesang ist beendet, Vater tritt in unsern Kreis und sagt ermunternd: „Nun los, Ede, nur Mut!"

Und Ede fängt nach kurzem Räuspern an, sein Weihnachtsgedicht aufzusagen. Es dauert nicht lange, und nun bin ich daran. Mein Teil ist die Weihnachtsgeschichte: „Es begab sich aber zu der Zeit, daß ein Gebot von dem Kaiser Augustus ausging, daß alle Welt geschätzet würde . . ." Ich weiß eigentlich gar nicht, wieso gerade ich immer dazu kam, an der Weihnachtsgeschichte kleben zu bleiben, die andern hatten es mit ihren kürzeren Verschen viel bequemer. Die Annahme, daß meine Eltern schon damals erkannt hatten, ich eigne mich mehr für Prosa als für Lyrik, scheint mir doch etwas gewagt.

Ich erledigte meine Geschichte glatt, und nun sind die Schwestern dran. Gottlob gibt es auch bei ihnen keine Schwierigkeiten. Einmal nämlich war Fiete zu faul gewesen, ein Weihnachtsgedicht zu lernen, und hatte einfach das letzte in der Schule gelernte Gedicht als Ersatz geliefert. Es war das schöne Bürgersche „Lenore fuhr ums Morgenrot", worunter ich mir damals Lenore auf dem Wagen des Sonnengottes um das Morgenrot herumfahrend dachte. Aber so schön dies Gedicht auch sein mochte, es hatte einige Erregung, Tränen, Verzögerung der Bescherung gegeben . . . Gottlob war Heiliger Abend, an dem alles verziehen und vergeben wird!

Während die Schwestern aufsagen, schiele ich doch schon nach den Tischen. Ich möchte doch wenigstens sehen, wo mein Tisch steht, damit ich ihn nachher gleich finde. Im vorigen Jahr stand er beim Ofen. Aber beim ersten Umherschauen blendet mich eine solche Fülle von weißen Tischtüchern, Kerzchen, Bücherreihen, bunt lackiertem Zeug auf jedem Tisch, daß ich überhaupt keine Einzelheiten sehe. Und schon ist Vater hinter mir, dreht meinen Kopf wieder zum Baum und flüstert: „Willst du wohl mal nicht schielen! Alle Geschenke fliegen fort, wenn du schielst!"

Das glaubte ich nun freilich nicht mehr, aber es schien mir doch weise, Vaters Aufforderung zu folgen.

Gottlob ist Itzenplitz jetzt endlich auch fertig. Was hat sie eigentlich aufgesagt? Ich habe kein Wort gehört! Nun gehen wir bei allen umher, allen wünschen wir ein Fröhliches Weihnachtsfest, von den Eltern bekommen wir einen Kuß, und nun ertönt endlich, endlich, endlich der Ruf: „Und jetzt sucht sich jeder seinen Tisch!"

Einen Augenblick Verwirrung, Durcheinanderlaufen – und Stille! Tiefe Stille!

Jeder steht fast atemlos vor seinem Tisch. Noch wird nichts angefaßt, nur geschaut. Also, da ist er nun wirklich, der lang ersehnte Anker-Brückenbaukasten. Endlich werde ich Cäsar seine Brücke über den Rhein schlagen lassen können. Und da steht Hagenbecks „Leben mit meinen Tieren". Und daneben, wahrhaftig! ein Nansen, mein erster Nansen! Gott, ich werde zu lesen haben in diesen Weihnachtstagen . . . Und da, in runden Holzschachteln, römische Legionen, Germanen und wirklich auch griechische Streitwagen! Ich werde eine Schlacht schlagen können –! Ich atme tief auf! Gott, ist das alles schön! Sie sind alle so gut zu mir, und ich bin oft so ruppig! Aber von jetzt an wird alles ganz anders werden, ich will ihnen nur noch Freude machen! Und aufgeregt fange ich an, die Bleisoldaten Schicht für Schicht aus den Schachteln zu nehmen . . .

Die Stille im Bescherungszimmer ist einem freudigen Lärm gewichen, überall wird gezeigt, gerufen . . . Schon wird hin und her gelaufen, die Schwestern haben einen ersten Überblick gewonnen und sind nun neugierig . . . Vater und Mutter lassen sich bald an diesem, bald an jenem Tische sehen. Mutter besteht darauf, daß wir auch das „Nützliche“ würdigen: neue Unterhosen oder einen Anzug. Aber das Nützliche ist uns egal, Unterhosen hätten wir sowieso haben müssen, Unterhosen sind nicht Weihnachten, aber Bleisoldaten sind es! Ein bunter Teller ist es, der überquillt von Süßigkeiten. Mit scharfem Blick mustere ich die Anzahl der Apfelsinen und Mandarinen auf dem Teller. Es sind beruhigend wenig, die Hauptsache besteht aus guter solider Leckerei zum Magenverderben. Und als Reserve ist da immer noch der Weihnachtsbaum mit seinem Behang. Es ist zwar verboten, an seine Süßigkeiten vor Silvester, vor der Plünderung zu gehen, aber jedes Stück kennt Vater doch nicht, und in der Weihnachtszeit sind alle Verbote gelockert.

Das Ergebnis war regelmäßig, da die Geschwister ebenso dachten, daß am Silvesterabend die Vorderseite des Baumes einen freilich nur spärlichen Paradebehang aufwies. Die Rückseite aber war ratzekahl. Worüber sich Vater ebenso regelmäßig ärgerte, aber nur mäßig, nur weihnachtlich.

Plötzlich tönt ein verzeifeltes Schluchzen durch den Raum. Wir alle fahren hoch und starren. Es ist Christa, die zum erstenmal das Weihnachtsfest fern dem elterlichen Haus verlebt. Der Kummer und die Freude im Verein haben sie überwältigt . . .

„Ach, ich bin ja so unglücklich! Ach, wenn ich doch zu Haus sein könnte! Ach, Frau Rat, Sie meinen es ja so gut, und die Nachthemden sind viel zu schön für mich, aber wenn ich sie doch nur für fünf Minuten meiner Mutter zeigen könnte! Ach, ich habe ja alles gar nicht verdient! Nein, ich habe es nicht, Frau Rat! Den Saucenrest in der letzten Woche, den Frau Rat so gesucht hat, den habe ich genascht! Und zwei Kalbsbratenscheiben habe ich auch gegessen! Aber sonst nichts, sonst bestimmt nichts! Und nun soll ich wirklich das schöne Nachthemd anziehen – nein, ich bin ja so unglücklich!“

Das Schluchzen verlor sich in der Ferne, Mutter führte die Gebrochene in stillere, für Beichten geeignetere Räume ab.

Haben wir nun alles gesehen? Können wir nun anfangen mit Spielen und Naschen und Lesen? Nein, denn nun fängt die Bescherung noch einmal an! Wir haben ja so viele Tanten und Onkel: was die sich zum Weihnachtsfest für uns ausgedacht haben, liegt noch säuberlich verpackt in Paketen, wie sie der Postbote brachte, unter Vaters Schreibtisch. Wir versammeln uns um Vater, auch Mutter ist wieder da, die Mädchen sind in der Küche und legen die letzte Hand an das Abendessen, es fängt nun an die Bescherung nach der Bescherung, die Festfreude in der Festfreude.

Aber das geht nicht so schnell, denn bei Vater muß alles ordentlich zugehen, mit Bedächtigkeit. Er nimmt das erste Paket, er verkündet: „Von Tante Hermine und Onkel Peter", und vorsichtig fängt er an, den Bindfaden aufzuknoten. In diesem Hause darf nie ein Bindfaden aufgeschnitten werden, alles wird verknüppert, und sei es aus noch so vielen Enden gestückt, mit dikken Knoten verunziert. Zappelig sehen wir Kinder zu. Der Knoten will ja gar nicht aufgehen. Aber Vater hat die Ruhe, wenn wir sie nicht haben. Kunstvoll schlingt er jetzt aus dem abgelösten Bindfaden ein Gebilde, das wir den „Rettungsring" nennen. „Ede, den Bindfadenkasten", ruft Vater, und Ede trägt ihn herzu. Der Rettungsring wird zu den andern schon gesammelten gelegt, bereit zur nächsten Benutzung. Das Packpapier wird methodisch zusammengelegt – und der darunter sichtbare Karton ist noch einmal verschnürt!

Wir Kinder verzweifeln fast vor Ungeduld. Nochmaliges Knüppern und Zusammenrollen. Nun aber wird der Deckel vom Karton abgenommen – und auf dem weißen, alles verhüllenden Seidenpapier liegt der Weihnachtsbrief.

Ein nochmaliger langer Aufenthalt, erst wird der Brief vorgelesen, ehe das Paket ausgepackt wird. Und manche Briefe sind sehr lang, fast ebenso lang wie langweilig, finden wenigstens wir Kinder.

Aber endlich ist es dann soweit. Es wird ausgepackt, es wird verteilt. Die einen freuen sich, die andern versuchen, ihre Enttäuschung zu verbergen. Es ist oft nicht leicht für die Onkel und Tanten, das Rechte zu treffen. Die uns länger nicht besucht haben, halten uns noch für die reinen Babies, sie haben keine Ahnung, wie wir zugenommen haben an Weisheit und Verstand . . .

Der leere Karton wird beiseite gesetzt, die Geschenke zu den

Tischen getragen, und nun kommt ein neuer Karton an die Reihe.

„Von Onkel Albert!“ verkündet der Vater.

So geht es langsam durch zehn oder zwölf Pakete, unsere Geduld wird auf eine harte Probe gestellt. Aber vielleicht ist es grade das, was Vater mit dieser übertriebenen Langsamkeit erreichen will: wir sollen warten lernen. „Kinder dürfen nicht gierig sein!“ Dies war ein Fundamentalsatz unserer Erziehung. (Ich dachte damals oft, wenn ich ihn hörte: also dürfen die großen Leute gierig sein? Die haben's aber gut!) „Sei bloß nicht so gierig“, diese Mahnung ist mir hundert-, tausendmal in meiner Jugend zugerufen worden . . .

Schließlich ging auch das Pakete-Auspacken zu Ende. Unsere Tische konnten schon alle Geschenke nicht mehr fassen, sie wurden schon darunter gesetzt, und ganz ehrlich seufzte ich einmal: „Es ist ja alles viel zuviel!“ Meine Eltern seufzten auch und dachten dasselbe. Es kam eben durch die ausgebreitete, geschenkfreudige Verwandschaft. Die Eltern waren gar nicht für die übertriebene Schenkerei, sie hielten sich in ganz bestimmten Grenzen. Für jedes Kind hatte Vater eine Summe ausgeworfen, die Mutter bei ihren Einkäufen nicht überschreiten sollte, darauf sah Vater sehr.

Diese kleine Pedanterie Vaters hat einmal meinem Bruder Ede und mir ein ganzes Weihnachtsfest verdorben. Das kam so: Ich hatte mich dem Drama zugewendet und hatte mir ein Puppentheater gewünscht, mit der Dekoration zum Freischütz. Schon lange, ehe Weihnachten war, hatte ich mir ausgedacht, wie wunderbar ich die Wolfsschlucht ausstatten wollte. Der Mond sollte transparent gemacht werden und mittels einer hinter ihm angebrachten Kerze richtig scheinen, auch war bereits im voraus Magnesium für Blitze beschafft. Ede hatte sich Bleifiguren zum Robinson Crusoe gewünscht.

Schon beim Aufsagen der Gedichte hatte ich die ragende Proszeniumswand des Puppentheaters entdeckt, mein Herz war freudig bewegt. Sobald wir das „Aufsagen“ hinter uns hatten, stürzte ich zu „meinem Theater“. Jawohl, das war es, und grade die Dekoration zur Wolfsschlucht war aufgestellt. Ich betrachtete sie, starr vor Entzücken, sie übertraf alle meine Erwartungen!

Da aber war Vater hinter mir und sagte: „Nein, Hans, das ist nicht dein Tisch. Das ist Edes Tisch! Du bekommst den Robinson Crusoe!“ Und als er mein bestürztes Gesicht sah, setzte er erklärend hinzu: „Sieh mal, Hans, du bist beim letzten Weihnachtsfest ein bißchen zu gut weggekommen und der Ede zu schlecht. Das Puppentheater ist viel teurer als die Bleifiguren, das muß also Ede bekommen . . ."

Und er führte mich von der Wolfsschlucht fort zu dem albernen Robinson.

Wie gesagt, ein völlig verdorbenes Fest! Wir Brüder konnten schlecht unsere Enttäuschung verbergen, wollten es wohl auch gar nicht und rührten unsere Geschenke überhaupt nicht an. Dafür schielten wir um so intensiver zum Tisch des andern. Mein guter Vater sah das wohl und fing an, sich erst gelinde, dann kräftig zu ärgern. Ein paar energische Scheltworte konnten unsere Festfreude auch nicht heben. Schließlich bekamen wir den dienstlichen Befehl, gefälligst nicht zu maulen, sondern mit unsern Geschenken zu spielen. Wir taten es mit so herausfordernder Lieblosigkeit, daß Vater uns zornentbrannt ins Bett steckte. Manchmal verlor eben auch er die Geduld – und hatte nun auch sein verdorbenes Fest!

Oft bin ich später gefragt worden, warum wir Brüder die Geschenke nicht einfach nach dem Fest untereinander austauschten. Aber wer so fragt, kennt unsern Vater nicht. Grade weil wir am Festabend gemuckst und getrotzt hatten, sah er darauf und kontrollierte es auch, daß nach seinem Befehl gehandelt wurde. So gütig und geduldig er auch war, so empfindlich war er doch auch gegen jede Auflehnung, und wo er gar etwas wie Gehorsamsverweigerung spürte, wurde er unerbittlich. Gehorsam mußte sein, das war ein Grundsatz bei ihm, an dem nicht gerüttelt werden durfte.

In solchen Fällen war er dann auch taub gegen alle Fürbitten der Mutter, die nach Frauenart nicht viel von Prinzipien hielt, sondern lebensklüger vom einzelnen Fall ausging. Für Vater war die Sache sehr einfach: ich hatte das vorige Mal zu viel bekommen, also bekam ich jetzt wenig, das mußte der Dümmste verstehen. Auf den Gedanken, daß es uns Kindern ganz gleich war, wieviel Geld ein Geschenk kostete, ist er leider nicht gekommen. Für Ede war das teuere Puppentheater nicht eine Mark wert, der Robinson aber viele hunderte, wenn man Freude überhaupt in Geld ausdrücken kann . . .

Doch war dieses gar zu ausgerechnete Weihnachtsfest eine einzige Ausnahme unter vielen, vielen durch nichts getrübten. Wenn wir dann fertig beschert und ausgepackt hatten, ging es zum Essen. Wir Kinder freilich folgten an diesem Abend nur ungern dem Ruf zu Tisch, wir hätten viel lieber weiter mit unsern Spielsachen gespielt und unsern Hunger von den bunten Tellern gestillt.

Aber das wurde natürlich nicht geduldet. In weiser Voraussicht gab es am Heiligen Abend stets Heringssalat, Mutter meinte, vor soviel Süßigkeiten sei etwas Saures das Beste! Schließlich aßen wir doch alle mit gesundem Appetit von den vielen schönen Sachen, und die Begeisterung schlug hohe Wellen. Immerzu wurde davon gesprochen, was jeder von seinen Geschenken besonders mochte, ein Kind ließ kaum das andere zu Worte kommen, jedes wollte den Eltern etwas von seiner Freude erzählen.

Aber vor allem wurde Vater gefragt, was denn nun seine Rätsel zu bedeuten hätten, ich hatte die Lösung des meinen auf dem Tisch nicht finden können und bildete mir nun ein, Vater habe noch ein besonderes Geschenk in der Hinterhand.

„Das ist doch so leicht, Hans", sagte Vater. „Deine Zinnsoldaten sind eckig, aber die Schachtel um sie ist rund. Sie ist auch leicht, und die Soldaten sind schwer. Römische Legionäre hat es vor tausend Jahren gegeben, und doch besitzt du sie heute. – Na, das zu raten war doch wirklich kein Kunststück, Hans!"

Und das fand ich nun auch.

Dann kam noch der lange Abend, an dem wir bis zehn aufbleiben durften. Während wir uns mit unsern Sachen abgaben – Itzenplitz las natürlich schon, als müsse sie ihre sämtlichen Bücher noch an diesem Weihnachtsabend durchrasen – saß Vater am Flügel und spielte einiges von den neuen Noten durch, die Mutter ihm geschenkt hatte. Mutter aber erschien nur zu kurzen Besuchen im Bescherungszimmer, denn in der Küche wurde noch gewaltig gearbeitet. Die weihnachtliche Gans für den nächsten Tag wurde vorbereitet und überhaupt so viel wie möglich vorgekocht, denn die Mädchen sollten es in den beiden nächsten Tagen auch leichter haben.

Dann ging es ins Bett. Bücher mitzunehmen war verboten, aber irgendein besonders geliebtes Spielzeug durfte sich jedes auf den Stuhl vor seinem Bett stellen. Und dann das Erwachen am nächsten Morgen! Dies Gefühl, aufzuwachen und zu wissen: heute ist wirklich Weihnachten! Wovon wir seit einem Vierteljahr geredet, auf was wir so lange schon gehofft hatten, nun war es wirklich da!

Noch im Hemd schlich man in die Weihnachtsstube, aber so früh man auch kam, meistens war schon ein anderes da. Da saß man denn, fror ein bißchen (denn es war noch nicht geheizt) und betrachtete mit ruhigem Besitzerstolz die neuen Schätze. Dazu wurde von den Tellern genascht; war man aber ganz schamlos, schlich man auch schon an die Rückseite des Baumes und schonte die eigenen Vorräte.

Am Vormittag dann ging das Besuchen los. Alle Jungen besuchten einander, alle Mädchen besuchten einander, es war ein ständiges Kommen und Gehen, ein ohrenbetäubendes Geschnatter. Offiziell erfolgten diese Besuche, um einander ein frohes Fest zu wünschen, in Wirklichkeit wurden die Geschenke angesehen, verglichen, gebilligt oder verworfen.

Der arme Vater aber war ohne bleibende Stätte. Er trug es mit Sanftmut und sah nur selten und kurz in seine Akten. Der zweite Weihnachtstag verlief schon nicht mehr ganz so ungetrübt, denn der Vormittag mußte den ersten Dankbriefen gewidmet werden. „Man kann nicht früh genug damit anfangen", sagte Vater mahnend. „Sie haben euch ja pünktlich zum Weihnachtsfest die Pakete gesandt, nun dankt ihnen auch pünktlich und wünscht ihnen Glück zum neuen Jahr!"

Diese Dankbriefe waren eine schreckliche Quälerei. Wir erfuhren es wieder einmal, daß es kein ganz reines Glück auf Erden gebe; zehn bis zwölf Pakete bekommen zu haben, war sehr angenehm gewesen, aber nun bedeutet das für jeden von uns zehn bis zwölf Dankbriefe! Ich entwickelte hohe Fähigkeiten, meine Buchstaben sehr groß zu schreiben. Auch schrieb ich der ganzen Verwandtschaft den gleichen Brief, immer von der Besorgnis erfüllt, sie könnten es doch merken. Ich hatte so eine Idee, die Onkel und Tanten tauschten diese wertvollen Schriftstücke untereinander aus!

Der schönste Weihnachtsbaum

Hans Nicklisch

Am großartigsten war Vater immer in Form, wenn es drauf ankam, Feste zu feiern. Feste waren Vaters besondere Stärke. Auf Saus und Braus legte er's dabei weniger an – dafür sorgte Mutter im Rahmen des Möglichen ohnehin, und das war nicht wenig. Aber er wußte ganz einfach, was im allgemeinen und im besonderen für uns Kinder ein Fest von einem gewöhnlichen Tag unterschied. Vor allem hatte er an Festtagen für uns Zeit und auch genug prächtige Ideen, um sie bis zum Platzen auszufüllen. Tagelang vorher lief er schon mit geheimnisvoller Miene herum, ließ ab und zu rätselhafte Andeutungen fallen, wobei er tat, als sei er mit Mutter allein im Zimmer und nähme gerade rechtzeitig genug unsere Anwesenheit wahr, um im letzten Augenblick noch den Mund zu halten. Wenn wir ihn dann mit Fragen bedrängten, tat er gewöhnlich, als habe er keinen Dunst, wovon wir redeten, zog die Augenbrauen hoch und schüttelte verwundert den Kopf.

„Bildet euch bloß keine Schwachheiten ein", sagte er dann. „Ich glaube, ihr denkt gar, ich hätte nichts weiter zu tun, als mich um euer Vergnügen zu kümmern. Da seid ihr aber schief gewikkelt. Ich habe gerade genug um die Ohren, um für euch Haufen Volks die Butter aufs Brot heranzuschaffen." Und damit wir nicht etwa glauben sollten, was er sagte, schmunzelte er bis über beide Ohren . . .

Der Höhepunkt von Vaters festlichem Wirken kam aber erst in der Weihnachtszeit, und gleich mit dem Baumkauf fing es an. Keinen Weihnachtsbaumhändler gab's in der Stadt, der es fertiggebracht hätte, Vater einen Baum anzudrehen, der nicht genau seinen Anforderungen entsprach. Drei Meter mußte er mindestens messen, und eine Edeltanne mußte es sein, schön voll, mit regelmäßigen Zweigen und einer Spitze, die stark genug war, um ungebeugt einen Stern aus Draht und Flittergold zu tragen. Die ältesten Jungen schleppten ihn schwitzend nach Hause, wo er fürs erste seinen Platz auf dem Balkon vor dem Musikzimmer fand.

Aber man denke nicht, daß Vater nun mit dem Baum, wie er da lag, auch zufrieden gewesen wäre. Am Morgen des Heiligen Abends machte er sich ans Werk. Alles, was in der Familie Hosen trug, und Bixi dazu war als Helfer zur Stelle. Vater an diesem Vormittag zu erleben, war ein Spektakel für sich, und keiner hätte es versäumen wollen, Mutter in ihrer großen Rolle zu sehen. Das ganze Jahr vertrugen sie sich, aber an diesem Vormittag gerieten sie in Streit, und das Schönste war, daß er jedes Jahr auf dieselbe Weise wiederkehrte.

Der Fuchsschwanz war der Stein des Anstoßes zwischen den beiden. Vater war entschieden fürs Sägen. Er war nicht zufrieden, wenn er nicht die ganze Wohnung mit den herausgeschnittenen Zweigen tapezieren konnte. Er meinte, ein Baum im Walde sei grundsätzlich etwas ganz anderes als ein Baum in der guten Stube. Mit dem Fuchsschwanz brachte er ihm Anstand bei. Solange die Tanne den Zustand edler Durchsichtigkeit nicht erreichte, blieb sie für ihn eine Art roher Lehmkloß, aus dem er das Bild „seines“ Baumes formte. Mutter hatte dagegen für Gestrüpp eine Schwäche. Je voller, desto besser, je gestrüppiger, desto mehr wuchs er ihr ans Herz, und das Herausschneiden von Zweigen schien ihr reine Barbarei.

Vater konnte bei seinem Schöpfungsakt niemand brauchen, der seine Versunkenheit dauernd mit unsachlichen Einwänden störte; darum wurde Mutter höflich, aber bestimmt aus dem Zimmer gewiesen. Zwei von uns mußten die Tanne halten, während er sich für seine Knie vom Sofa ein Kissen holte und mit ihm und dem Fuchsschwanz ins Gezweige tauchte.

Der Baum erzitterte unter den Zähnen der Säge, an seinem Fuß häuften sich die Äste, und ab und zu schob sich Vater ächzend ans Licht, um mit besorgniserregend gerötetem Antlitz, verschobener Krawatte und benadeltem Scheitel den Grad der Vollendung zu ermessen.

Selbstverständlich hörte Mutter draußen das Sägen. Zuerst hoffte sie wohl, daß Vater nur den Stamm um ein Stückchen kürzte, wie er vorsorglich angekündigt hatte, aber dann spähte sie schließlich durch einen Spalt und sah die Bescherung. Es war immer die gleiche schreckliche Überraschung für sie, obgleich sie daran hätte gewöhnt sein müssen. Und auch ihre Reaktion war immer dieselbe. Sie rief Vater durch den Türspalt Ermahnungen zu, die sich, als sie nichts fruchteten, allmählich zu schrillen Protesten und Drohungen steigerten.

Wir Kinder kannten den streng verweisenden Blick, mit dem Vater die Störerin zunächst statt einer direkteren Antwort zu bedenken pflegte, und vom letzten Jahre hatten wir noch den düster-beherrschten Klang seines warnenden Rufes „Grete!“ im Ohr, der uns anzeigte, daß er, falls Mutters unziemliche Einmischungen fortdauern sollten, zu energischeren Maßnahmen schreiten würde.

Die Säge sang inzwischen ihr knirschendes Lied, uns war schon selber bänglich zumute, denn was da vor kurzem noch in grünnadliger Fülle gewuchert hatte, war allmählich in ein Stadium gleichsam vergeistigter Askese getreten und zeigte sein architektonisches Gerippe auf eine schon mehr als schamlose Weise.

Vor diesem Asketen nun hätte man Mutter sehen sollen. Den Hut vom Einkaufsgang noch auf dem Kopf – denn schließlich wollte Vater nach getaner Arbeit etwas Nahrhaftes auf dem Teller haben –, stand sie schreckensbleich in der Tür, einen Augenblick verschlug es ihr förmlich die Sprache, dann überwand sie alle Bedenken, stürzte ins Zimmer und rief entrüstet:

„Was zuviel ist, ist zuviel! Das ist ja kein Baum mehr, das ist ein Besenstiel, ein Monstrum, ein wahrer Kinderschreck. Und du versprachst mir doch, nicht mehr als nötig herauszuschneiden! Das ganze Fest ist mir verdorben. Lieber geh' ich zu Bett, als daß ich . . ."

„Raus!" brüllte Vater, dem nun doch der Geduldsfaden gerissen war. Und diesmal drehte er den Schlüssel im Schloß zweimal hinter ihr herum.

„Das hätten wir", sagte er, während er sich wieder zu uns wandte. Keiner konnte es beschwören, aber wir glaubten, nach solchen Auftritten gelegentlich Anzeichen von Unsicherheit in seinem Benehmen zu finden. Stumm, mit schrägem Kopf, umwandelte er den Baum, musterte ihn von allen Seiten, und was er nach dieser Besichtigung äußerte, galt offenbar mehr der Festigung der eigenen Überzeugung als seinen respektvoll lauschenden Helfern.

„Sie versteht nicht", murmelte er, „daß ein neuer Rahmen ein neues Bild verlangt. Frauen reagieren zu gefühlsbetont, um die Welt als mathematisch geordneten Zusammenhang zu sehen. Die Natur umgibt ihn mit wuchernden Ornamenten. Nehmen wir den Baum aus seiner natürlichen Umgebung, sind diese Ornamente nicht mehr nötig. – Jedenfalls nicht alle", fügte er nach einer Pause großzügig hinzu.

Zerstreut nahm er hier und da noch ein Zweiglein ab, aber wohl mehr, um sich gegen das von draußen hereindringende Gezeter Mutters zu behaupten, als aus innerem Drang: der schöpferische Vorgang war abgeschlossen.

Den Aufputz dirigierte er vom Sofa aus. Nur das Anbringen der Kerzen betrachtete Vater noch als seine Domäne. Es hatte gleichfalls mit geheimnisvollen architektonisch-mathematischen Gesetzen zu tun.

War der letzte Faden Lametta gehängt, die letzte Kugel an Ort und Stelle, pflegte er uns noch einmal um sich zu sammeln.

„Daß ihr mir Mutter nicht mehr ärgert", sagte er mit einem listigen Augenzwinkern. „Sie muß sich zu Weihnachten aufregen, sonst ist ihr nicht wohl. Was dazu nötig war, hab' ich selber besorgt."

Aber so leicht beruhigte sich Mutter nicht. Erst wenn sie nach dem Mittagessen den Baum in der Pracht seines Festkleides sehen durfte, begann ihr Grimm allmählich zu schmelzen. Natürlich hatte sie noch allerlei auszusetzen, aber das nachhallende Grollen bedeutete nichts – wir wußten ja, wie es enden würde. Denn auch das Ende war wie die Entwicklung des Dramas immer dasselbe.

Vater hatte die Kerzen angezündet, während wir nebenan im Musikzimmer Weihnachtslieder sangen, und als wir schließlich, selbst festlich angetan, den festlich geschmückten Raum betraten, sahen wir im magischen, golddurchwirkten Dämmer des Kerzenlichts Vater und Mutter dicht beieinander, still in das Wunder der Stunde vertieft, die Augen, vom tanzenden Widerschein der Flämmchen erfüllt, auf die schimmernde, feierlich ragende Tanne gerichtet. Dann wandte sich Mutter Vater zu, mit einem so glücklichen, selbstvergessenen Lächeln, wie man es sonst nur bei Kindern trifft, legte den Kopf an seine Schulter und flüsterte – ja, wirklich, sie flüsterte, als sei vorher gar nichts gewesen:

„Ich danke dir, Lieber. Es ist der schönste Baum, den wir jemals hatten."

Vorher aber hatte Vater uns noch die Weihnachtsgeschichte aus der Bibel vorgelesen, und auch das gehörte untrennbar zu Weihnachten wie der Baum. Gegen halb sechs hatte er sich in sein Schlafzimmer zurückgezogen, um sich seufzend und ächzend, doch wohlgelaunt und erwartungsfroh, in die widerspenstigsteife Hemdbrust und den Smoking zu zwängen. Während er noch dabei war, Betrachtungen über den sich am Hosenbunde erweisenden Zuwachs an Leibesfülle anzustellen, hörte er vom Flur her die eiligen Schritte seiner Söhne und Bixis; sie schienen sich wieder einmal erst in der letzten halben Stunde vor Ladenschluß für ihre diversen Geschenke entschlossen zu haben.

Er hatte also wie jedes Jahr Zeit, in aller Ruhe noch nach dem auf Kühlung gesetzten Wein zu sehen, einen appetitfördernden Blick in die Speisekammer zu werfen, das Musikzimmer zu inspizieren, ob alles für den Auftakt gerüstet sei, einen kurzen Moment im dunklen Flur still zu verharren, den Atem anzuhalten und auf die summende Aktivität hinter all den noch geschlossenen Türen zu lauschen und sich schließlich mit der alten, großen Familienbibel im Musikzimmer in einen der blausamtenen Sessel niederzulassen und das zerschlissene, mürbe Leder des Einbands zu betrachten, auf dem viele Male die Hände seines Vaters, seines Großvaters und Urgroßvaters geruht haben mochten. Es war schön, das zu wissen und sich als ein Glied in einer nicht endenden Kette zu fühlen, die aus der Vergangenheit in die Zukunft reichte – kein schwaches Glied, eins, das – so hoffte er – seiner Vorgänger würdig war. Und nach ihm würde Dreas, der Älteste, die Bibel bekommen. Und nach Dreas? Er schmunzelte. Nun, das hatte noch Zeit; es würde sich zeigen. Er hatte jedenfalls dafür gesorgt, daß die Kette nicht abriß.

Mit geschlossenen Augen, das schwere, große Buch auf dem Schoß, lehnte sich Vater in den Sessel zurück, um ganz ohne Ablenkung die aus Tiefstem aufsteigende hauchleise Gewißheit zu spüren, daß er den Sinn des Lebens für seinen Teil auf seine Weise erfüllt hatte. Es waren Augenblicke, die er nicht missen mochte, Augenblicke der Dankbarkeit, der Vorbereitung und Sammlung, ohne die er die Weihnachtsgeschichte des Lukas nicht so lesen konnte, wie sie gelesen werden mußte, ohne die diesem Abend nicht seine ganze Fülle und Freude wurde.

Gleich darauf hörte er vom Flur her die fröhliche Prozession der anderen nahen, und er stand lächelnd auf, um das Fest zu beginnen.

Weihnachtliche Impressionen

Alfred Braun

Aufblendender Akzent:
„durch Berlin fließt immer noch die Spree" –
„Nun beginnt die große heilige Dichtung, die die Menschen Weihnachten nennen. Es gibt nur wenige Dichtungen, die so schön sind. Eine heißt entschwundene Kindheit, die andere der nächste Frühling. Oder weiß jemand noch eine –?"

Mit diesem Wort haben wir einmal das erste Adventsprogramm des Berliner Rundfunks im alten Haus in der Potsdamer Straße eingeleitet. Und da wir damals Programm machten von einem Tag zum andern, stellte sich jede Abendsendung nach dem Nikolaustag ganz von selbst auf Advent und Weihnachten ein.

An unserem Mikrofon war der Adventskranz aufgestellt. „Tochter Zion, freue dich" klang auf und die erste Kerze wurde angezündet – das Anreißen des Streichholzes war deutlich zu hören.

Für Kinder gab es täglich in der Dämmerstunde einen Adventskalender – ohne Fernsehen – Kalenderblätter nur zum Hören. Und die Kinderstimmen sprachen:

„Jahr – dein Haupt neig –
still abwärts steig!
Dein Teil ist bald verbrauchet.
Soviel nur Lust
noch darleihn mußt,
als uns ein Tannenzweiglein hauchet.
Herz, werde groß!
Denn grenzenlos
soll Lieb in dir geschehen. –
Welt, mach dich klein!
Still schließ dich ein!
Du mußt vor Kindesaug' bestehen!"

Am Heiligabend wurden die Kerzen am Christbaum vor dem Mikrofon angezündet. Da es noch keinen Funkchor gab, sangen die Jungen vom Domchor die alten Lieder, und dann wurde die wundersame Geschichte bei Lukas aufgeschlagen – wie sich der Himmel auftat über dem nächtlichen Feld mit den Hirten in ihrer Furcht, wie der Stern aufleuchtete über dem Stall mit den Landfremden, die sonst keinen Raum hatten zum Herbergen, die Frau in ihrer schweren Stunde, der Mann in seinem Zweifel, und das Kind in der Krippe. „Gott hat den Himmelsthron verlassen und muß reisen auf der Straßen“, sangen die Jungen des Domchors.

Als wir das erste Mal die Abende bis Weihnachten so begingen, haben wir uns gefragt: geht das „im Berlin der zwanziger Jahre“ – mehr als ein Jahrhundert weit weg vom Wandsbecker Boten und weit weg auch von dem weihnachtseligen Chronisten der Spreegasse, in dessen Chronik die Tage vor Weihnachten schon von der Mitte des November an gefeiert werden? Geht das in Berlin, in dem Gläubige und Ungläubige beieinander leben, geht das unterm Dach über dem Potsdamer Platz, vor dessen Lärm bei Tag und Nacht wir unser Mikrofon mühsam abdichten mußten? Und dann geschah ein adventliches Wunder! Aus allen Bezirken Berlins, vom Wedding und der „Plumpe“, vom Bayrischen Platz und aus dem Grunewald, aus dem Norden, dem Osten, dem Süden und dem Westen Berlins kamen die Briefe und Anrufe, die uns sagten, wie die Berliner allabendlich mit uns feierten. Wir wurden zu einer großen Familie. Und aus den Stuben der Einsamen kamen die Zuschriften, von Kranken und Gefangenen. Und Max Hölz, der kommunistische Aufrührer aus Mitteldeutschland, schrieb mir aus dem Zuchthaus einen gebieterischen Brief, wie das Programm auf Weihnachten noch reicher zu gestalten sei.

Die ersten Weihnachtszeiten haben die große Berliner Rundfunkgemeinde geschaffen. Vieles davon ist bis auf den heutigen Tag geblieben – auch das neue große Funkhaus ist ein klingendes Haus, wenn es auf Weihnachten zugeht. Nie werde ich vergessen, wie bei Schluß der Bürostunden in der Vorweihnachtszeit im abgedunkelten Lichthof von der hohen Galerie herunter die Funkkinder ihre Adventslieder singen, und wie man aus dem Klang der Kinderstimmen auf die Straße hinausgeht und auf den lichter- und sterngeschmückten Turm sieht, der wie ein großer Weihnachtsbaum über der Stadt leuchtet . . .

Stille Wartezeit. Jemand hat einmal mit Recht darauf hingewiesen, niemand könnte aus irgend einem Monat im Jahr vom Januar bis zum November so mir nichts dir nichts in seiner Erinnerung zurückschalten in den gleichen Monat vor soundso vielen Jahren bis zurück in die Kindheit. Aber die Dezember-, die Vorweihnachtswochen, die stünden in der Erinnerung lebendig beieinander. Der Tag, an dem man zum ersten Mal mitdurfte, den Weihnachtsbaum auf dem großen Markt der Bäume am Tempelhofer Feld oder am Görlitzer Bahnhof auszusuchen. Oder der Tag vor den Weihnachtsferien, wo wir Jungen und Mädel aus der Volksschule in die Philharmonie geführt wurden, und als für unsere Ohren zum ersten Mal das Bachsche Weihnachtsoratorium erklang und der Chor glückselig immer aufs neue anhob: „jauchzet, frohlocket" – ich brauche nur die Augen zu schließen, und es überströmt mich heut nach Jahrzehnten wie damals. – – –

Und Weihnachten in der großen Stadt?

„Ist Ihnen schon sehr weihnachtlich zu Mute?" fragte ich den Taxichauffeur, der mich gestern nachmittag zu den Weihnachtsfeiern in Altersheimen fuhr. – „Bis jetzt noch nicht. Aber heute mittag stand ich mit meiner Mühle" – so nennt er seine Dieselkutsche – „am Halteplatz Uhland – Ecke Kudamm. Da kommen zwei Kinder, 'n Junge und 'n Mädel, mit so 'nem zweirädrigen Anhänger fürs Fahrrad und transportieren 'n Weihnachtsbaum, fest verschnürt, und singen ganz laut über die Straße weg: ‚O Tannebaum, o Tannebaum', und die Leute gehen langsamer oder bleiben stehen, und der Schutzmann an der Ecke hebt schon die Hand und will einschreiten, aber er läßt die Hand wieder runter. Die beiden haben grade laut angefangen: ‚Morgen Kinder, wird's was geben', und damit ziehen sie, obwohl die Ampel auf rot steht, in die Uhlandstraße. Alle Räder stehen still, und die Leute sehen hinterher; und die am Volant und die an der Bordschwelle haben auf einmal ganz andere Gesichter." – „Fein", sage ich. – „Warten Sie ab", sagt der Taxichauffeur, „det Tolle kommt erst. Ein Fahrer von 'nem Lieferwagen, 'n janz jungscher, 'n Halbstarker, steigt ab, nimmt den Jungen und det Mädel an de Hand und geht mit den beiden in die Konditorei an der Ecke –. Genau so war's. Aber nu hätten Sie die Gesichter auf der Straße sehen sollen! Auf einmal war Weihnachten. – Das können Sie am Sonntag im Spreekieker erzählen." –

Was ich hiermit getan habe. Und ich habe auch gleich im Altersheim bei der Feier von den Kindern mit dem Tannenbaum und den Weihnachtsliedern auf dem Kurfürstendamm erzählt. Die Beiden waren gewiß keine Engelchen, 'n Junge und 'n Mädel von der Spree. – Aber die Leute auf der Straße haben andere Gesichter gekriegt, vielleicht nur für eines Stoppzeichens Länge – aber immerhin, „auf einmal war Weihnachten", hat der Taxichauffeur gesagt. –

Und die Weihnachtsfeier bei den „Altchen", wie man in der Heimstätte am Rand der Jungfernheide früher sagte. Jetzt heißen sie „Heimbewohner". Na ja. Die Feier in diesem großen Heim hat seinen besonderen Charakter. Es fehlt neben dem Gemeinschaftsraum, den jede Etage hat, ein großer Saal, der *alle* Heiminsassen in einer solchen Feierstunde aufnehmen könnte. Und da hat man sich als Ersatz ersonnen: es wird im Treppenhaus gefeiert. Es ist ein enges Treppenhaus, mit Podesten in den einzelnen

Etagen, wie um eine Wendeltreppe herum. Da sitzen und hocken die Alten, nestlich geborgen, wie auf Hühnersprossen übereinander. Die Wände des hohen Treppenschachtes und das Treppengeländer sind mit Tannengrün geschmückt, vom Keller bis zum hohen Dach führt sozusagen eine Jakobsleiter, eine Himmelsleiter, und der Weihnachtsengel „Vom Himmel hoch" hat es ganz nahe, wenn er „da – her" kommt.

Auf dem Podest an der Treppenmitte ist ein Klavier aufgestellt zur Begleitung für den gemeinsamen Gesang und für die musizierenden Solisten. Ein strahlender Weihnachtsbaum steht in der Ecke, und durch das breite Fenster über dem Podest sieht man im Dämmerlicht draußen ein Stück Himmel über hellen bunten Siedlungshäusern.

Und rings um das Podest bis weit in die hellen sauberen Korridore sitzen sie im Festkleid, die „Altchen", mancher hat den Stock vor sich aufgestützt. Den Rollstuhl für einen Behinderten hat man in die erste Reihe gefahren. Was spiegelt sich in den Gesichtern, in den Augen? Viel Freude am Zusammensein mit den Hausgenossen – eine festliche Freude, die nicht in jeder Stunde des Jahres bestehen wird – aber heut in allen Augen leuchtet. Aber gibt's auch verschlossene Gesicher unter dem weißen Haar – viel lebende „Berliner Geschichte" –: sie haben Glück, Glanz und Reichtum, Schande, Armut und Elend ihrer Stadt erlebt und ihr Packen davon getragen. Nun sind sie zur Ruhe gekommen. Licht ist es um diese Abendstunde, und licht möge es sein bis zum letzten Abend. – Weihnachtsmelodien klingen auf – verstohlen fährt der Finger an die Augen –. Und dann vereinen sich die Stimmen der Alten zum gemeinsamen Gesang: „Stille Nacht, heilige Nacht –". . . .

In der Nacht nach der weihnachtlichen Fülle des Tages steh' ich am Fenster und sehe auf die stillgewordene Straße. Eine Weihnachtsstadt ist dieses Berlin. –

Aber noch ein Wort von den Tagen an der „Vorfreude" – Jeder Tag im Advent ist wie Geburtstag. – Immer näher rückt das Fest – noch sieben – noch sechs Nächte – und jetzt noch zweimal schlafen, und dann ist Heiligabend. – Wir saßen in der Christvesper vor den hohen Lichterbäumen, die so viel heller strahlten als der bescheidene Baum zu Hause. Der Heimweg nach der Vesper war voller Erwartung. Ob ich die Geige wohl kriegen würde? Sie sollte zwanzig Mark kosten, und das war unerschwinglich, aber ich hatte eine in einem Altladen, in einem Keller am steil abfallenden Veteranenberg hinter der Zionskirche, für acht Mark gesehen.

Die ersten Kerzen an den Weihnachtsbäumen leuchteten an dem späten schon dunklen Nachmittag hinter den Fenstern auf; lichterselig, in einem Traum gingen wir durch die Straßen. Vor der Haustür traf ich meine Mutter – sie hatte es geschafft im letzten Augenblick vor Ladenschluß: die Geige für acht Mark aus dem Keller am Veteranenberg hinter der Zionskirche war da. – Weihnachten – „ich hab diese Zeit des Jahres gar lieb" – und so blieb es mein Leben lang. –

Als wir Jungens von fünfzehn und sechzehn Jahren waren mit grünen Schülermützen – die „Laubfrösche" nannten sie uns auf dem Prenzlauer Berg – hatten wir einen Lehrer, der uns die Weihnachtsferien völlig zum Paradies machte. „Abi" nannten wir ihn nach seinem Vornamen „Albert". Der „Abi" dieser späten Schuljahre traf sich in den Weihnachtsferien mit ein paar Ausgewählten von uns zu Streifzügen durch das vorweihnachtliche Berlin. Den Krögel, die Grachten, die Jungfernbrücke, die Sperlingsgasse lernten wir mit seinen Augen sehen und lieben. Ein unvergeßlicher Tag mit ihm in den Weihnachtsferien: ein früher Heiligabend. Wir hatten uns am Nachmittag bei Kranzler Unter den Linden verabredungsmäßig mit ihm getroffen. In jedem Jahr ging er zur ersten Christvesper mit uns in eine der alten Berliner Kirchen. An jenem Heiligabend habe ich zum ersten Mal Berlins älteste Kirche „Nicolai" betreten. Wie dunkel, wie geheimnisvoll, wie wundersam fremd und wie groß und gewaltig war der erste Eindruck. Jeder Blick in das mystische Halbdunkel der Kirche trifft auf Zeichen eines todüberwindenden Glaubens – und alles, die Werke der alten Kunst und die Werke des alten Glaubens, sind zugleich steingewordene Geschichte Berlins und der Menschen, die in dieser Stadt vor uns waren. –

Und als wir nach der Christvesper mit „Abi" durch die dunklen schmalen Gassen gehen über den Mühlendamm in den Fischerkietz, da sagt er uns, was es heißt, sich als lebendiger Teil in solcher Geschichte zu wissen: eine Verpflichtung, aus der man niemals entlassen werden kann. Wir haben sehr beeindruckt zugehört, aber was dieser Gedanke einmal für jeden von uns bedeuten könnte, hat keiner geahnt. –

Und dann saßen wir in einer Bierstube im „Fischerkietz". Von der niedrigen Decke hing das Modell einer Kogge, und wir fühlten uns bei dem steifen Weihnachtsgrog, zu dem „Abi" uns eingeladen, als säßen wir in einer Hafenkneipe in Hamburg oder Marseille. „Abi" erzählte, und alles, was in der Kneipe am Heiligabend saß oder an der Theke stand, und was da aus- und einging, hörte für eine Weile mit zu, wenn er eins seiner beliebten

Erzählstücke, das wir längst kannten, zum Besten gab, etwa von dem alten Berliner am Gendarmenmarkt, der ein Weihnachtsbaumhändler war „und Poet dazu" und zwar ein Schnelldichter:

„Meine Bäume sind mal wieder 'ne Pracht,
die hat unser Herrgot extra gemacht
für seine lieben Berliner.
Drum kommt und kiekt und kooft bei mir."

Dem Bankier Bleichröder soll er zugerufen haben:

„Na, Herr Bankier, was soll's wieder sein?
'Ne Silbertanne, schlank und fein –
weil doch so'n noblichter Mann
nich een kleenet Bäumecken mitnehmen kann."

Oder „Abi" erzählte der Korona die alte Geschichte von dem Berliner Lehrling, der am Weihnachtstag, während der Meister mit seiner Ehegattin in der Kirche ist, die Gans im Bratofen zu überwachen hat – und dabei kann er der Versuchung nicht widerstehen, die knusprige Haut zu kosten. Und er merkt gar nicht, daß er nicht aufhört, zu kosten. Als er schließlich den nackten Schaden vor sich sieht, und draußen schon die Stimme des Meisters zu hören ist, schickt er den Stoßseufzer zum Weihnachtshimmel: „Lieber Jott, laß Pelle wachsen." Und die Zillegestalten in der Schifferkneipe lachen – die verwegensten Visagen am gemütvollsten. – Und wie „Abi" sie soweit hat, geht er ans Klavier und beginnt, frei zu fantasieren, und alle hören ihm zu. Dann löst sich aus der Improvisation wie zufällig eine Melodie, ein Weihnachtslied: „O Tannenbaum", und die Zuhörer beginnen, zögernd zuerst, bald aber lauter mitzusingen. Und dann singen alle verwegenen Gestalten am lautesten „O du fröhliche, o du selige, gnadenbringende Weihnachtszeit". Und zuletzt sehr verhalten jeder mit seinen Gedanken: „Stille Nacht". –

So gesehen und geschehen in einer Hafenkneipe im Fischerkietz am Spreearm, lange vor dem ersten Weltkrieg.

Der brennende Baum

Georg Hermann

Da kannte ich jemand, der jeden Weihnachten – es gibt so Leute, die, wie der Berliner sagt, in jede Kneipe denselben Quatsch machen – die gleiche Rede hielt; die begann: „Heute, wo auch in dem kleinsten Hause die Gardine brennt . . ." Und dabei war er nicht mal Versicherungsagent und sprach aus der Fülle seiner Erfahrungen heraus. Aber ich weiß nicht mal, ob der so viele Erfahrungen hat. Ich habe jedenfalls selten gesehn, daß es Weihnachten einen Brand gegeben hätte, ganz in der Ferne habe ich so mal die Feuerwehr am Weihnachtsabend vorbeiklingeln hören, aber gesehn habe ich am Weihnachtsabend so etwas nie, nur am nächsten Tage oder nach dem Fest gelesen: „Die Feuerwehr wurde am Heiligen Abend achtmal alarmiert, doch handelte es sich meist um kleinere Haus- und Gardinenbrände, die bei ihrem Eintreffen schon gelöscht waren, so daß kein Eingreifen der Feuerwehr nötig war; nur in der Mulakstraße . . ." Spricht das „nur" *gegen* die Fixigkeit der Feuerwehr oder *für* die Unbedeutenheit der Brände? Das habe ich nie herausgekriegt. Jedenfalls spricht es für die Ehrlichkeit unseres Volkes, daß im Verhältnis zur Zahl der Feuerversicherten und zur Zahl der angesteckten Weihnachtsbäume selbst kleinere Brände am Weihnachtsabend prozentual so überaus bescheiden sind. Das Risiko ist doch sehr gering; ein Baum kann immer zufällig umfallen, ein Licht kann immer unbedacht an der falschen Stelle angebracht werden. Indizien gibt's nicht; keine Zündschnur ist nötig, keine in Petroleum getränkten Lumpen und Sägespäne, die nachher gefunden werden und vor Gericht gegen einen ausgenutzt werden können. Und wer möchte nicht gern neue Gardinen? Und wer hat sich nicht in den Sofaumbau im Salon übergesehn, besonders wenn er Jugendstil ist und man so um 1910 geheiratet hat? Wenn aber trotzdem eine so verschwindend kleine Zahl von Baumbränden zu Weihnachten vorkommt, so ist das ein Zeichen von der grundanständigen Unverdorbenheit. . . ach nein, der unverdorbenen Grundanständigkeit der breiten Massen unseres deutschen Volkes.

Und außerdem brennt doch ein grüner Weihnachtsbaum gar nicht. Dazu ist er viel zu frisch, hat viel zuviel Feuchtigkeit vom Wald her noch in sich. Er glimmt, wenn ein Licht heruntergebrannt ist, und blakt und züngelt mal an einer oberen Zweigspitze ein bißchen an. Und dann greift man zu und drückt es wieder aus und pustet das Licht darunter aus. Im allerärgsten Fall spritzt man ein bißchen Wasser aus der Gießkanne dagegen und überschwemmt die neuen Oberhemden, die unter dem Baum liegen. Aber die müssen ja sowieso vorher noch mal durchgewaschen werden.

Also zu Weihnachten brennt ja solch Baum gar nicht richtig, aber zu Silvester oder so um den fünften Januar 'rum, wenn er erst so wirklich trocken geworden ist, schon nadelt und man noch mal Gäste hat und der Baum eben zum letztenmal noch der Feierlichkeit halber – morgen soll er geplündert werden – angezündet wird, also dann kann er brennen! Das muß man gesehn haben! Das muß man miterlebt haben! Und ich habe es miterlebt. Und ich habe es gesehn. Ich habe es mir gar nicht allein gegönnt, so nett war es. Und deswegen will ich es hier erzählen.

Das war so vor dem Krieg, als man noch Geselligkeit pflegte, bei meiner alten Freundin. Also Sie brauchen deswegen nicht gleich so etepetete die Nase zu rümpfen; gewiß, wir liebten uns, aber sie war vierzig Jahre älter als ich, und sie war damals soviel über achtzig, wie ich über vierzig war, da gehörte es dazu, daß man jedes Jahr als Abschluß des alten am dritten (oder war es der fünfte?) Januar eben das vierte Diner im Jahr bei ihr hatte (unbeschadet der zahllosen Sonntagmittagbrote). Was soll ich Ihnen das Herz schwer machen und Ihnen erzählen, was es da immer zu essen gab. Ich kann es mir nur so vorstellen, daß die Puten auf einer Straußenfarm großgezogen wurden, denn sonst hätten sie gar nicht so antidiluvianische Formen annehmen können. Lachse! Also Lachse mit Granadinsoße, die sicher keine laxe Moral hatten, denn dann kann man gar nicht so gut schmecken. Soupe à la reine . . . Was heißt Soupe à la reine, Soupe à l'imperatrice! Und die Spezialität der Köchin – sie hat mit 118 Jahren ihre Geheimnisse ins Grab davon genommen – waren so Speisen, so schaumig geschlagene Erdbeercremes und halbgefroren mit einer dicken gelben Maraschinotunke. Und der Weinkeller, aus dem man so einfach die rarsten Marken heranpfeifen konnte wie einen Jagdhund, und dann kamen sie wirklich auf den Tisch gesprungen. Und die meisten Weine werden doch durch Lagern besser. Und es waren ganz alte Jahrgänge dabei, die schon vierzig, fünfzig Jahre da im Keller ruhten, Frankenhausener Kirchhofsmauer und so, und die wie alte Karpfen fast Moos auf dem Korken gekriegt hatten und einen Veilchenduft in der Flasche. Das ist passé und vorbei. Und die Menschen, die da meine alte Freundin – sie war langsam verhutzelt wie eine Knusperhexe geworden, energisch wie drei Männer, klug wie zwei Professoren, aber gebildeter – immer wieder um sich versammelte, die waren alle zumeist auch schon so vierzig, fünfzig Jahre da, und der Tod galt bei ihr für sie als einziger Entschuldigungsgrund für Nichterscheinen. Aber von Jahr zu Jahr hatte so einer nach dem anderen von diesem Entschuldigungsgrund Gebrauch gemacht, und die Lücken waren dann dürftig mit Jüngeren, wie ich zum Beispiel oder der und jener noch, gefüllt worden. Und jetzt waren wir eigentlich nur noch so acht oder zehn, manchmal auch zwölf. Sie, eine jüngere Freundin von ihr, die sich erst den Achtzigern näherte, gefärbte Haare hatte, ein Gesicht, das man vor Schminke schlecht sehen konnte, sich noch stattlich und aufrecht hielt, venezianische Spitzen und einen Schildpattkamm einfrisiert hatte in ein Nest von Zöpfen, die mal ihr Eigentum gewesen waren, und dunkelviolette Atlaskleider dazu trug. . . sie deklamierte, und sie war einmal Stimmkünstlerin und Ausbildnerin gewesen. Es ließ sich nur schwer vermeiden, daß sie nicht plötzlich „Dein Schwert, wie ist's von Blut so rot, Edward – Eeedwwaaard" begann. Was sag' ich: begann? Anhub. Sie liebte überhaupt so Sachen mit „Hus" und „Has", Hexen- und andre Lieder. Ja, die war noch da. Dann das andre alte Fräulein, das ich immer ärgern mußte. Sie war eigentlich ein verschrobenes und armseliges Geschöpf. Ich glaube, sie malte verschollene Blumenarten auf Porzellanteller, und sie soll einmal Devrient (oder war es Matkowski? Oder Niemann? Aber einer von denen war es) geliebt haben. Natürlich nur unglücklich. Denn damals war es Spezialität, unglücklich zu lieben. Ja, die mußte ich etwas aufziehn, indem ich erzählte, wie er in Tirschtiegel drei Tage von den faulen Äpfeln hatte leben können, die man nach ihm geworfen hätte, und indem ich Kainz lobte und so. Denn das hatte nämlich ihr verstorbener Sohn durch dreißig Jahre getan. Und dann lachte die alte Dame Tränen. Ich wußte es. Sie wußte es. Die Porzellanmalerin . . . Die alte Dame sicher auch. Aber es gehörte zum Sonntagsprogramm.

Und dann war ein berühmter Humorist da, der wie die meisten Humoristen gar keinen Spaß verstand, trotzdem er seit fünfzig Jahren welchen machte, und dem erzählte ich, weil er nämlich immer auf Schiller herumritt, daß Schiller unmusikalisch wie ein Blecheimer, der aus einem Güterwagen fällt, gewesen ist, während Richard Dehmel. . . also dann ging er in die Luft, und die alte Dame freute sich diebisch und machte innerlich noch ksch, ksch dazu! Und dann waren noch der und die da, und dann war Anna da, das alte Mädchen – die Köchin war so dick, die konnte nie aus der Küche die schmale Treppe herauf in die Parterreräume kommen –, der Diener, der Portier, der alte Kutscher aus Zeiten der Equipage. Aber die durften natürlich nicht mitessen! Sagte ich schon, daß wir im Eßsaal saßen. . . nicht im Gemäldesaal, dem großen? Aber auch der war ja groß genug! Mindestens dreißig Personen hätte man lang setzen können. Er war holzgetäfelt, helleichen ganz und gar, hatte eine hölzerne Decke, und die schönsten Delft- und Chinaschüsseln – so was ist heute gar nicht mehr zu haben, und früher hat's zehn Taler das Stück gekostet – standen ringsum auf den Gesimsen.

Hier saßen *wir*, und da drüben auf einem andern Tisch am Ende des Raumes, frei und isoliert – ich betone das! – stand mit Kerzen besteckt der riesige Weihnachtsbaum, ein Gigant seines Geschlechts, ganz in Lametta und Goldsterne gehüllt, duftete und rieselte von trockenen Nadeln. Trotzdem – früher hat man die Zimmer so hoch gebaut – war es gut noch anderthalb Meter bis zur Decke. Die Pute hatte sich selbst übertroffen. Sie hatte vor Trüffeln gar nicht aus den Augen gucken können. Der Lachs – oder waren es Lachsforellen gewesen? – war zart wie ein lyrischer Dichter gewesen . . . Die kleinen Zwischenspiele waren besser als Einakter von Shaw . . . Aber nun sollte die Speise, der Creme, kurz, die Krönung, das letzte Kochkunstgeheimnis der dicken Köchin, kommen. Was es war, wußte noch niemand. Sie verriet das nicht vorher. Es war jedesmal etwas andres, das ihr ihr Genius eingab. Doch was es dieses Mal war, habe ich auch später nie in Erfahrung gebracht. Denn während Anna die bauchige Schüssel vor die betagte Deklamatrice hinstellte, sagte meine alte Freundin feierlich:

„Johann, stecken Sie den Baum an!"

Und Johann faßte den Befehl allzu wörtlich auf, denn kaum hatte er die dritte Kerze mit seinen zittrigen Fingern angezündet, so brannte der ganze Baum schon lichterloh wie ein Scheiterhaufen. Das Feuer sprang wie ein rotes, schwarzgeschwänztes Eichhörnchen nur so von Ast zu Ast. Die Nadeln stoben als kleine glühende Fünkchen durch das Zimmer, es wurde heißer als an einem offenen Kamin im Zimmer im Augenblick, ein Qualm wie der Rauchkegel eines Vesuvs sammelte sich unter der Decke und verdunkelte das Licht der Glühbirnen. Das ging ganz verdammt schnell. Man schrie durcheinander. Der alte Portier humpelte mit einem Eimer Wasser heran und schwappte ihn in die Flammen. Aber der Baum tat, als merkte er nichts davon. Er lachte einfach darüber . . . Oben an der Decke bildete sich ein großer dunkler Fleck, auf dem schon ein paar Glühwürmchen hin und her krochen. Ich stürze zum Telephon: die Feuerwehr soll kommen . . . Es dauert eine ganze Weile, bis ich Verbindung erhalte

. . . der Feuerwehrmann scheint eben aus dem Bett zu kriechen, denn er ist etwas schwer von Kapee, wie der Berliner sagt. Und dann fragt er mich umständlich, ob ich überhaupt berechtigt wäre, die Meldung zu machen, und ob meine Großmutter mit Ammenmilch aufgezogen worden wäre. Er brauche das für seine Statistik, meint er.

Und dann stürze ich wieder hinein und versuche, die alte Porzellanmalerin, die immer um den brennenden Busch herumhuppt wie Moses in der Bibel und dabei hustet, wegzuziehn und den Befehlen der alten Dame an Johann, Anna und den Kutscher mehr Nachdruck zu geben. Ganz hinten im Raum, im Dämmer aber, durch Rauch und Nebel und glühende Nadeln, die umherflogen, erkenne ich schattenhaft die alte Deklamatrice, die, ohne von der Umwelt Notiz zu nehmen, sich seelenruhig, ob ihr auch die Fünkchen hineinfliegen, eine Portion Speise nach der andern auf den Teller häufte und ebenso seelenruhig und maschinenmäßig eine Portion nach der andern – so etwas ist ja sehr leicht, sozusagen doch nur gefrorenes schmackhaftes Nichts – in sich hineinführte. Ihr Gesicht drückt keinerlei Beunruhigung oder gar Beängstigung, nur eine gleichmäßig stille Behaglichkeit aus, ja eine Beglücktheit.

Endlich, wie sie sich die letzten drei Löffel – aber Vorlegelöffel bitte! – aufschippt, steht der riesige Weinachtsbaum nur noch als ein glühender verkohlender Stumpf da, wie eine Eiche, die der Blitz ausgebrannt hat – und da kommt auch die Feuerwehr. Sie macht sich sehr wichtig, tutet, bläst, hat blanke Knöpfe und blankere Helme, trillert und kommandiert und beschränkt sich darauf, nach Kommando die Fenster aufzumachen und einen Eimer Wasser gegen die Decke zu plantschen, gegen die Glühwürmchen, die da herumkrauchen.

Die alte Dame aber sagt, wieder ganz sie selbst: „Also bitte, meine Herrschaften, gehn wir doch jetzt vor in den Salon. . . die Speise können wir ja noch vorn essen.“

Niemand von uns hat auch nur einen Happen mehr davon bekommen. Und wir waren zwölf Personen.

Neujahrslied

Jochen Klepper

Der du die Zeit in Händen hast,
Herr, nimm auch dieses Jahres Last
und wandle sie in Segen.
Nun von dir selbst in Jesu Christ
die Mitte fest gewiesen ist,
führ uns dem Ziel entgegen.

Da alles, was der Mensch beginnt,
vor seinen Augen noch zerrinnt,
sei du selbst der Vollender!
Die Jahre, die du uns geschenkt,
wenn deine Güte uns nicht lenkt,
veralten wie Gewänder.

Wer ist hier, der vor dir besteht?
Der Mensch, sein Tag, sein Werk vergeht:
nur du allein wirst bleiben.
Nur Gottes Jahr währt für und für,
drum kehre jeden Tag zu dir,
weil wir im Winde treiben.

Der Mensch ahnt nichts von seiner Frist.
Du aber bleibest, der du bist,
In Jahren ohne Ende.
Wir fahren hin durch deinen Zorn,
und doch strömt deiner Gnade Born
in unsere leeren Hände.

Und diese Gaben, Herr, allein
laß Wert und Maß der Tage sein,
die wir in Schuld verbringen.
Nach ihnen sei die Zeit gezählt,
was wir versäumt, was wir verfehlt,
darf nicht mehr vor dich dringen.

Der du allein der Ewige heißt
und Anfang, Ziel und Mitte weißt
im Fluge unserer Zeiten:
bleib du uns gnädig zugewandt
und führe uns an deiner Hand,
damit wir sicher schreiten!

Weihnachten in Berlin

Gundel Paulsen

Was unterscheidet Weihnachtsgeschichten aus Berlin von denen anderer Großstädte wie Hamburg, Frankfurt, Köln, Bremen oder München? Sehr groß war die Anzahl der Geschichten, aus denen die Auswahl zu treffen war. „Weihnachten in der Sperlingsgasse“ von Wilhelm Raabe und „Die Leihgabe“ von Wolfdietrich Schnurre – in unzähligen Weihnachtsanthologien vertreten, und deshalb hier nicht berücksichtigt – dürften wohl die bekanntesten sein. Jede der beiden enthält aber auch etwas für die Geschichten aus Berlin Typisches. So spielt wie in der Erzählung „Die Leihgabe“ auch in denen von Nicklisch und Fechner und in den beiden Weihnachtserinnerungen von Fallada und Mommsen der Tannenbaum eine besondere Rolle. Es geht nicht nur darum, einen zu haben; er muß besonders schön sein.

Über die Geschichte des Weihnachtsbaumes in Berlin wird ebenso wie über die der Weihnachtsspiele in dem parallel erscheinenden Band „Weihnachtsgeschichten aus Brandenburg“ berichtet. (Berlin wurde Mitte des 15. Jahrhunderts Sitz der Kurfürsten von Brandenburg und war später Hauptstadt der Provinz bis 1920.)

Auch Schilderungen des Berliner Weihnachtsmarktes wie in „Die Chronik der Sperlingsgasse“ von Raabe gibt es eine ganze Fülle. Kein anderer Weihnachtsmarkt dürfte in ähnlichem Umfang Eingang in die Literatur gefunden haben.

Ludwig Tieck läßt in seiner Novelle „Weihnacht-Abend“ über den Weihnachtsmarkt von 1780 bis etwa 1793 sagen: „Nirgends in Deutschland und Italien habe ich etwas Ähnliches wiedergefunden, was damals die Weihnachtszeit in Berlin verherrlichte.“ Als richtiges Volksfest wird der Markt von Tieck und Julius Stinde geschildert, auf den auch die Erlebnisse im „Weihnachtskasper“ und „Ein Tannenbäumchen fingerhoch“ führen. Hundertfünfzig Jahre Berliner Weihnachtsmarkt umspannt diese Auswahl, an deren Ende der „Weihnachtsschwarzmarkt“ von Erich Kästner steht.

Tatsächlich sollen die Vorläufer des Weihnachtsmarktes in Berlin in die ältesten Zeiten der Stadt zurückreichen. Schon vor der Reformation wurden jeweils Ende Dezember bretterne Buden an den alten Pfarrkirchen von St. Marien, St. Nicolai in Berlin und St. Petri in Kölln aufgeschlagen. Auf diesen kleinen Märkten bot man unter Aufsicht der Geistlichkeit kirchlichen

Schmuck, kleine geweihte Gegenstände und Wachskerzen in jeder Größe an.

Den eigentlichen Berliner Weihnachtsmarkt soll der Große Kurfürst (1640–1688) eingeführt haben, weil er andere Vergnügungen wie Aufzüge auf den Straßen und Fastnachtsspiele verbieten ließ. Viel zu seiner Belebung trugen dann die französischen Réfugies, Protestanten, die zwischen 1685 und 1715 in Berlin und Brandenburg Aufnahme fanden, bei. Ursprünglich wurde der Weihnachtsmarkt auf dem Cöllnischen Fischmarkt und dem Petri Platz abgehalten, dehnte sich später dann aus über den Mühlendamm bis zum Mollenmarkt und in die Heiligen-Geist-Straße. (Zeitschrift der Bär 1886)

Auf diesem Markt konnte die Bevölkerung, vor allem die Landbevölkerung, nach dem Kirchgang neben den ursprünglich kirchlichen Dingen Gegenstände des praktischen Bedarfs und in zunehmendem Maße Näschereien und andere Dinge kaufen, die über den eigentlichen Bedarf hinausgingen. Laut alter Gesindeordnung war zu Weihnachten Zahlzeit. Gesinde und Dienstmädchen erhielten neben Wäsche und Kleidung ihren Weihnachtstaler. So waren Zeit und Ort günstig, sie zum Kauf anzureizen.

Wie alte Kämmereirechnungen nachweisen, beschenkte man sich bei Hof zu Neujahr, ebenso der Adel. Erst Friedrich Wilhelm, der Große Kurfürst, führte wohl die Bescherung am Weihnachtstage ein. Der Erzieher des Kurprinzen Karl Emil, Otto von Schwerin, machte im Erziehungsjournal folgenden Eintrag vom 24. 12. 1663: „Weil der heilige Abend gewesen, hat der Prinz Urlaub gehabt. Um 4 Uhr haben wir zusammen nebst Prinz Friedrich Weihnachtsgesänge gesungen; um 5 Uhr sind kurfürstliche Eltern mit beiden Prinzen in mein Gemach gekommen, da die Weihnachtsgeschenke hingelegt gewesen, und hat sich ein jeder sehr verwundert, daß der Kurprinz alle anderen schönen Sachen nicht angesehen, sondern zu dem Küraß mit Freuden gesprungen und solchen sofort angelegt und herumgezogen; hernach hat er den Herrn Vater und Frau Mutter gedanket." (Niederdeutsche Zeitschrift für Volkskunde 1930). 1729 soll König Friedrich Wilhelm I. nach einem Gang über den Weihnachtsmarkt allerlei Kostbarkeiten aus Silber und Spielsachen erstanden und die Königin, Prinzen und Prinzessinen zu Weihnachten beschenkt haben. Der Kronprinz bekam „eine kostbare Chabraque, wovon man viel rühmen höret, weil dergleichen hier noch nicht gemachet oder bekannt gewesen". 1731 soll er sogar Ruten für die Prinzen gekauft und den Prinzen Wilhelm damit auf die Hände geschlagen haben. (H. Kügler vermutet die Anfänge des Weihnachtsmarktes unter *König*, nicht Kurfürst Friedrich Wilhelm). In „Königs historischer Schilderung Berlins" ist eine Spezifikation der Geschenke aufgeführt, welche Friedrich Wilhelm seiner Familie 1735 gemacht hat. Es waren goldene und silberne Schüsseln im Werte von 4000 Talern.

Obwohl sich das Schenken allgemein von Neujahr nach Weihnachten verlegte, fand der Weihnachtsmarkt immer noch von 14 Tage vor Weihnachten bis nach Neujahr statt.

Am 25. 11. 1750 bat der Polizei-Direktor und Stadtpräsident Carl David Kircheisen in einem Gesuch um die Verlegung des Marktes, weil der alte Platz zu klein geworden war, und schon im selben Jahr, am 11. 12. 1750, schlug daraufhin der Weihnachtsmarkt seine Buden in der Breiten Straße auf.

Im Jahre 1784 erschienen erstmalig „Annoncen den Weihnachtsmarkt betreffend in der Zeitung. In der „Königl. priviligirten Berlinischen Staats- und Gelehrten Zeitung" macht der Kaufmann Catel seinem „hochverehrten Publicum bekannt, daß er den diesjährigen Christmarkt (welcher in der Breiten Straße ‚vor dem königlichen Stall' aufgebaut war) wie gewöhnlich den 8. Dezember eröffnen wird. Das Verzeichnis seiner Waren wird täglich gratis ausgegeben; eine Landschaft mit einer Wasserkunst und alten Gebäuden, welche durch die neue Panser-Lampe erleuchtet wird, möchte nicht weniger Beifall als die vorigen Stücke erhalten'". Dieser ersten Catel'schen Ausstellung folgte 2 Jahre später schon der Kaufmann Aschenborn, der in der Breiten Straße ein künstliches Bergwerk aufgebaut hatte, welches anläßlich eines Christmarktbesuches sogar von König Friedrich Wilhelm II. mit seiner Tochter und seinen Söhnen besucht wurde. Von Prinz Ludwig heißt es, er habe sich auf dem Markt eine Flasche wohlriechenden Wassers gekauft, um es den „Schönen" ins Gesicht zu spritzen und sich so einen Weg durch das Menschengewühl zu bahnen.

Der Weihnachtsmarkt war Ende des 18. Jahrhunderts nicht nur der Platz für weihnachtliche Einkäufe und Vergnügungen der gesamten Berliner Bevölkerung, er wurde zum Volksfest, auf dem sich Alt und Jung vergnügten. Ein früher Stich von 1765 gibt davon einen lebhaften Eindruck. Auch die Königsfamilie stattete ihm regelmäßig seinen Besuch ab und mischte sich so ungezwungen unters Volk, wie es heute unvorstellbar wäre.

Den Verlauf des Weihnachtsmarktes schildert eine Chronik aus dem Jahre 1790:

„Der Christmarkt in Berlin nimmt den 11. Dezember in jedem Jahre seinen Anfang. Das heißt, die Breite Straße nebst Schloßfreiheit wird ungefähr mit 250 Buden besetzt. In der Mitte bleibt immer ein Zwischenraum, daß zwei Wagen bequem neben einander fahren und darneben dennoch eine gute Anzahl von Käufern und Spaziergängern laufen können, ohne befürchten zu dürfen, die Zehe abgefahren zu bekommen. In den ersten 8 Tagen, das heißt vom 12.–19. Dezember, ist der berlinische Christmarkt unerheblich. Viele Buden stehen nicht auf, und nur eine mittelmäßige Anzahl von Käufern besucht denselben. Aber vom 20.–24. Dezember ist der Besuch desselben am allerstärksten, wo sich jung und alt, vornehm und reich, in Wagen und zu Fuß einfindet (versteht sich nicht alle auf einmal) und ein jeder das kauft, was er zu verschenken gedenkt. Man muß dem berlinischen Erfindungsgeist eingestehen, daß er alle Kunst angewendet hat, den Käufern das Geld aus dem Beutel zu locken. Vorzüglich zeichnen sich die hiesigen Conditors durch die gekünstelten Confituren aus, die durch ihr Backwerk so viel an Farbe und Gestalt so oft zu vervielfältigen wissen, daß jeder, der nur etwas eine leckerhafte Zunge hat, sein Geld gern und willig dahin springen läßt. Um gute Ordnung unter den Käufern und Spazierenden zu halten, auch dem Unwesen der Mauserei zu steuern, gehet von Zeit zu Zeit eine Patrouille der nächsten Wache auf und ab; auch müssen immer einige Polizeidiener acht haben, daß alles ordentlich und ehrlich zugehe, und allen Unfug zu stören suchen. Bis zum 23. Dezember werden nun immer die meisten Sachen verkauft und dauert der Jubel des Volkes höchstens des Abends bis 10 Uhr. Allein der 24. Dezember, als am heiligen Abend, ist der wichtigste Tag des Volks-Jubels. Denn an diesem Tage nimmt der Christmarkt schon des Morgens um 9 Uhr seinen Anfang. Alle Buden haben in der Zeit alle ihre Sachen zur Schau aufgestellt, und was nun noch etwas von vornehmeren, als mittleren Bürgern benöthigt ist, geht und fährt nach dem Christmarkt, und kauft es. Dies währt bis Abends gegen 6 Uhr. In welcher Zeit sich denn nun der geringere Bürger, Handwerksbursche und Tagelöhner einfindet, wodurch denn öfters solcher Drang entsteht, daß man öfters froh ist, mit Ehren und ohne Schaden davon gekommen zu sein. Schon um 3 Uhr des Nachmittags machen die meisten Handwerker Feier-Abend, das heißt: sie legen die Arbeit bei Seite, nehmen soviel Geld, als sie ausgeben wollen, bei sich und so wandern sie nach dem Christmarkt . . ." Aus dieser Zeit stammt auch die Weihnachtsmarktbeschreibung von Ludwig Tieck.

Anfang des 19. Jahrhunderts kamen neben dem Weihnachtsmarkt die Weihnachtsausstellungen immer mehr in Mode.

Kunstausstellungen wurden sie auch genannt, aber die Stätten dieser Veranstaltungen waren keine Kunsthandlungen, sondern Konditoreien. Die Zuckerbäcker modellierten vor allem aus dem damals so beliebten Tragant. Von Jahr zu Jahr vermehrten sich die Anzeigen in den Zeitungen. So zeigt Conditor Fuchs, Unter den Linden 20, in der „Vossischen Zeitung" von 1810 an, daß er das Schlaraffenland ausgestellt hat, Conditor Gruner, Kurstraße 6, wartet mit einer Ausstellung des Todtentanzes „nach einem Originalgemälde eines alten berühmten deutschen Malers, in der Marienkirche zu Lübeck befindlich" auf, C. L. Meister, vom Schloßplatz Nr. 11, zeigte „Die Stadt Berlin mit allen Plätzen, Straßen, Gebäuden u.s.w. treu und sehr künstlich mit erhabenen Figuren und von sehr beträchtlichem Umfange", Gebhard, Ecke Gertrauden- und Petristraße wies gar „Die Stadt Kopenhagen von der Westseite, in der Nacht vom 4. zum 5. September 1808 während des Bombardements, nebst den Batterien und Schanzen der Engländer und der großen englischen Flotte, auch einen Ausfall des braven dänischen Leibkorps, alles ganz treu nach der Natur", vor.

Wie aktuell man sein konnte, zeigten die Weihnachtsausstellungen des Jahres 1813, welche vielfach ganz im Zeichen der grade im Oktober gewonnenen großen Völkerschlacht bei Leipzig standen. Gropius, der schon 1810 erstmalig mit seinem Diorama aufwartete, baute wie aus der „Vossischen Zeitung" zu entnehmen ist, ein riesiges Schlachtgemälde auf: „Täglich des Abends von 6 Uhr an wird mein diesjähriges Weihnachtsstück ‚Die Schlacht bei Leipzig oder vielmehr der Rückzug der großen französischen Armee am 18. Oktober dieses Jahres' für die Einlaßpreise von 4 und 2 Groschen Courant gezeigt" und in der Weihnachtsnummer der Vossischen ist dann zu lesen:

„Der von Herrn Gropius zur diesjährigen Weihnachtsausstellung gewählte Gegenstand ist der interessanteste, den der Künstler wählen konnte. Der häufige Besuch des Publikums bestätigte dieses Urteil völlig. Die Aufführung des Tableaus ist mit der rühmlichen Sorgfalt behandelt, die man von der Arbeit des Herrn Gropius gewohnt ist. Er liefert eine treue Darstellung der ewig denkwürdigen Schlacht, wo gerade der imposante Augenblick, ‚Die Flucht der großen französischen Arme', gewählt ist: Es ist Abend. Man sieht die Stadt Leipzig im Hintergrund; ein brennendes Dorf, Wachtfeuer in der Ebene; retirirende und verfolgende Kolonnen; feuernde Batterien. Man hört den Kanonendonner, das Gewehrfeuer, Trommeln, Trompeten, Signalhörner. Wie sehr der Künstler die Perspektive zu berechnen weiß, beweisen die angebrachten, halb verbrannten Windmühlen, die das Auge so täuschen, daß man sie einzeln dastehend glaubt; die Bewegung der Figuren, besonders der umherschweifenden Kosaken und vorzüglich der Artilleristen, die eine preußische Batterie bedienen, sind täuschend der Natur nachgeahmt und verdienen vermerkt zu werden."

Konditor Eberke, Unter den Linden 45, zeigt seinem hochzuverehrendem Publikum an, daß er eine Ansicht der Stadt Leipzig zeigt, wo mehrere hundert Gefangene eingebracht werden. Daneben empfiehlt er sich bestens mit allen Sorten Konditoreiwaren und Erfrischungen. Auch in der Königstraße 61 kann man eine mechanische Vorstellung ‚Der Eroberung von Leipzig nach der Völkerschlacht vom 16.–19. Oktober' miterleben. Ganz große Enthusiasten konnten sich Napoleon als Hampelmann vom Weihnachtsmarkt mit nach Hause nehmen, der 1813 allenthalben als solcher angeboten wurde.

1836 berichtet Ludwig Rellstab in seinen „Weihnachtswanderungen" als Journalist in der „Vossischen Zeitung" über die Ausstellung bei Gropius, der wieder ein ganz aktuelles Thema gestaltete. Das eine seiner Bilder stellt die erste Eisenbahn dar. Ein Jahr vorher im Dezember 1835 hatte sie ihre erste Fahrt in Deutschland von Nürnberg nach Fürth zurückgelegt. Rellstab schreibt „Die Eisenbahnen setzen jetzt viel mehr in Bewegung als die, welche darauf fahren, nämlich alles. Groß wird hoffentlich auch die Zahl derer sein, welche danach wallfahren. Es kann sie nicht gereuen; sie treffen erstlich eine sorgfältig ausgeführte, heitere grüne Landschaft, in deren Mittelgrunde Nürnberg liegt und mit seinem Schloß und seinen alten Türmen über die Baumgipfel emporragt, und zweitens sieht man in dieser Landschaft das regste Treiben des Verkehrs. Vorn die Eisenbahn, dahinter die Chaussee. Höchst anschaulich ist der Gegensatz des lahmen Verkehrs auf der letzteren in Vergleich zu dem pfeilschnellen auf den Eisenbahnschienen dargestellt. Zum Schluß des Bildes rollte das Wagen-Convoi an uns vorüber und hinter ihm der Vorhang herab." Aber auch in naturgetreu dargestellte fremde Städte und Landschaften führte Gropius seine Besucher. So konnte man Venedig oder Budapest oder Madrid oder auch die Blaue Grotte bei Capri bewundern. Bei Weyde, der in den Berliner Adreßbüchern um 1830 als „Konditor und akademischer Künstler" geführt wurde, konnte man feinmodellierte Volksfiguren bestaunen, wie sie den Leuten von der Straße her bekannt waren, wie Marktfrauen in ihrer Bude oder beliebte Schauspieler in populären Rollen, oder auch bekannte Persönlichkeiten Berlins leicht karikiert.

Über dreißig Jahre lang wirkte Rellstab als Ratgeber der Berliner für ihre Weihnachtseinkäufe mit seinen „Weihnachtswanderungen“ in der „Vossischen Zeitung“. Auch in Zeitungen, die außerhalb Berlins erschienen, werden die „Weihnachtswanderungen“ zur Information der Leser angetreten. So schreibt Ernst Kossak in der „Allgemeinen Illustrierten Zeitung, Über Land und Meer“ von 1867 in seiner „Berliner Chronik“: Das heranrückende Fest legt der Publizistik besondere Verpflichtungen auf; der Journalist muß sich nothgedrungen den Funktionen eines Markthelfers in der literarischen Verkaufshalle unterziehen . . . Ich greife zum Wanderstabe und mustere die Schaufenster der Hauptstraßen, an denen alles prangt, was die moderne Industrie zum Schmuck des Leibes und Lebens erfunden hat . . . Die Schaufenster der Hauptstadt lehren uns in diesem Monate, was alles im Mittelpunkte eines großen Kulturstaates fertig vorliegt. Mit Hilfe eines Adreßkalenders kann ein reicher Gentleman sogar von seinem Schreibtisch aus ein vollständiges Hauswesen organisieren, noch besser, wenn er in seiner Equipage die Weihnachtsrunde macht.“ Und weiter heißt es dann: „Auch die Theater suchen sich die Weihnachtswochen zu Kassenzwecken nutzbar zu machen. Wallner und Woltersdorf haben Kindertheater eingerichtet. In dieser Jahresepoche geht die Bühne mit der Schule Hand in Hand. Der kleine Gymnasiast, wenn er nicht „nachsitzen“ muß, kann, mit der Mappe auf dem Rücken, gleich von seiner Quarta aus das Theater besuchen. Die Vorstellungen beginnen zwischen vier und fünf Uhr und enden um sechs; die gegebenen Stücke sind immer der kindlichen Fassungskraft angemessen. Das Kroll'sche Etablissement wird nach altem Brauch in allen seinen Räumen weihnachtlich metamorphisiert. Auf der Bühne im Königssaal, dessen Sitze sich jetzt in einem amphitheatralischen Aufbau erheben, spielt man Märchen von L'Arronge, ‚Die Tannenfee‘, dessen Moral Jung und Alt beherzigen mag, da sie sich um den Nutzen eines arbeitsamen Lebenswandels dreht. Die seitwärts gelegenen beiden Säle sind in einen phantastischen Gartensalon und eine Tropfsteinhöhle umgestaltet, in deren Hintergrunde unter einer alterthümlichen Halle Kaiser Babarossa thront. Dem kriegerischen Geiste des Zeitalters entsprechend sind in den kleineren Nischen oder Grotten der Höhle Schlachtenscenen aufgestellt, die in ihrer Totalität eine Geschichte der Entwicklung der Schußwaffen bilden.“ Noch in den achtziger Jahren findet man die „Weihnachtswanderungen“, aber in der Zeitschrift „Der Bär“ von 1886 heißt es dazu: „Die heutigen Wanderungen sind, dem Geist der Neuzeit entsprechend, theuer bezahlte geschäftsmäßige Reklamen in kurzer, knapper Form, ohne jede poetische Abschweifung geworden."

Über ein volles Jahrhundert blieb der Weihnachtsmarkt in der Breiten Straße, dann wurde er auf Betreiben der dortigen Ladenbesitzer 1873 auf den Schloßgarten und den Lustgarten beschränkt. Wenig verändert hatte sich in all diesen Jahren der Charakter des Weihnachtsmarktes. Mehr als hundert Jahre hindurch boten Berliner Jungen ihre Waldteufel, Knarren, „Schäfkens" und Hampelmänner an und zeigten den berliner Witz und ihre Schlagfertigkeit in Reden wie: „Koofen se doch, lieber Herr! n'Jroschen der janze Hampelmann. Immer billig, billig. Er eßt nich, er drinkt nich, er kost't keene Steuern, er zerreißt keene Strümpfe nich, un de Cholera kriegt er erst recht nich!"

Mit dem Anwachsen der Stadt – die Einwohnerzahl Berlins war inzwischen von 147 000 im Jahre 1786 auf 932 000 im Jahre 1871 angewachsen, ging allmählich der alte Zauber des Marktes verloren. 1893 wurde er durch den ungeheuer anwachsenden Verkehr von seinem Platz verdrängt. Er fand auf verschiedenen Plätzen vom 11.–27. Dezember statt, um später in den Lustgarten zurückzukehren. Noch heute gibt es auf dem inzwischen in Marx-Engels-Platz umbenannten Lustgarten einen Weihnachtsmarkt. Er liegt in Ostberlin.

In dem Maße, wie sich Berlin vergrößerte – um 1900 wurden 2 Million Einwohner erreicht –, wurde im Zuge der Industrialisierung der Unterschied zwischen arm und reich größer. Das findet seinen Niederschlag auch in den Weihnachtsgeschichten aus dieser Zeit. Da stehen neben Schilderungen des bürgerlichen Weihnachtsfestes solche, in denen das Elend grade zu Weihnachten besonders deutlich wird.

Auffallend bei den Weihnachtsgeschichten aus Berlin ist der hohe Anteil an Autoren, die keine Berliner sind. Ein Zeichen sicherlich für die große Anziehungskraft, die diese Stadt hatte. Grade Berlin soll sich – verglichen mit anderen Großstädten – durch eine große Assimilationskraft ausgezeichnet haben. Es sind unter den Autoren viele, deren Geburtsstadt nicht Berlin ist, die dann aber in Berlin lebten und oft auch starben. Auch die Universitätsstadt Berlin wird deutlich, ganz zu schweigen von der Anziehungskraft, die es auf Künstler ausübte. Aus den Biographien vieler Schriftsteller wird – wie in keiner Sammlung bisher – die düstere Seite des Nationalsozialismus deutlich. Aber auch dafür lassen sich Beispiele finden, daß Weihnachten in dieser besonders geprüften Stadt seine erneuernde und verbindende Kraft behalten hat.

Quellenangaben und biographische Daten

Gottfried Keller: *Weihnachtsmarkt* (Gedicht)
Aus „Gottfried Keller Werke Band I", Atlantis Verlag, Freiburg 1971.
Gottfried Keller wurde am 19. 7. 1819 als Sohn eines Drechslers in Zürich geboren. Bedingt durch den frühen Tod des Vaters besuchte er zunächst die Armenschule. Die höhere Schule mußte er 1834 wegen eines Jungenstreiches vorzeitig verlassen. Er ließ sich dann zunächst zum Maler ausbilden, erkannte aber seine größere Begabung auf schriftstellerischem Gebiet. Mit Hife eines Stipendiums des Kantons Zürichs begann er 1848 in Heidelberg Geschichte, Philosophie und Literatur zu studieren. In den Jahren 1850–1855 erlebte er die entscheidende Entwicklung als Schriftsteller in Berlin, wo sein autobiographischer Roman „Der grüne Heinrich" entstand und für viele spätere Werke die Grundlage gelegt wurde. Ab 1855 lebte Gottfried Keller wieder in Zürich, wo er von 1861–1876 das Amt des ersten Staatsschreibers innehatte und am 16. 7. 1890 starb. Er ist einer der größten deutschsprachigen Erzähler. Die Novelle „Kleider machen Leute" wurde mehrfach verfilmt.

Ludwig Tieck: *Weihnacht-Abend*
Aus „Gesammelte Novellen Bd. 5", Berlin 1855.
Ludwig Tieck wurde am 31. 5. 1773 als Sohn eines Seilermeisters in Berlin geboren. Er besuchte dort auch das Gymnasium und studierte ab 1792 zunächst in Halle später in Göttingen. 1794 nach Berlin zurückgekehrt, arbeitete er von 1795–1798 mit Nikolai zusammen an der Erzählungsreihe „Straußfedern". 1799 schloß er sich dem Kreis der Frühromantiker – Novalis, den Brüdern Schlegel und Brentano – an. Er lebte dann in Dresden, auf Schloß Ziebingen bei Frankfurt/Oder und machte Auslandsreisen u. a. nach England, wo er intensive Shakespeare-Studien betrieb. 1841 berief ihn Friedrich Wilhelm IV. nach Berlin als Vorleser an den königlichen Hof. Als Geheimer Hofrat war er auch Berater der Königlichen Schauspiele. Ludwig Tieck starb am 28. 4. 1853 in Berlin. Bedeutend wurde er für die Entwicklung der deutschen Novelle zwischen Romantik und Realismus.

Julius Stinde: *Der Weihnachtsmarkt* (gekürzt)
Aus „Die Familie Buchholz, Aus dem Leben der Hauptstadt" 2. Teil, G. Grote'sche Verlagsbuchhandlung Köln und Berlin 1963, (1. Aufl. 1885).
Julius Stinde wurde am 28. 8. 1841 in Kirch-Nüchel bei Eutin geboren. Nach dem Besuch des Gymnasiums in Eutin und der Absolvierung einer Apothekerlehre studierte er Chemie in Kiel, Gießen und Jena und promovierte zum Dr. phil. In den Jahren 1863–1866 war er Werkführer chemischer Fabriken in Hamburg und übernahm die Redaktion des „Hamburger Gewerbeblattes", die er bis 1875 führte. Nach ausgedehnten Auslandsreisen übersiedelte er 1876 nach Berlin und widmete sich ganz der Schriftstellerei. Sein Werk – heute fast vergessen – umfaßt u.

a. die komisch-satirischen Romane um die Berliner Kleinbürgerfamilie Buchholz sowie heimatlich niederdeutsche Volksstücke.

Erich Kästner: *Weihnachtsschwarzmarkt in Berlin*
Aus „Kästner für Erwachsene", (c) Atrium Verlag, Zürich, mit freundlicher Genehmigung des Verlages.
Erich Kästner wurde am 23. 2. 1899 in Dresden geboren, wo er zunächst die Volksschule und später das Lehrerseminar besuchte. 1917 wurde er zum Militär eingezogen. Nach dem Krieg studierte er in Leipzig, Rostock und Berlin und schloß das Studium 1925 mit dem Dr. phil. ab. 1927 übersiedelte er nach Berlin und verdiente sich seinen Lebensunterhalt als Theaterkritiker und freier Mitarbeiter von Zeitungen und Zeitschriften, u. a. der „Vossischen Zeitung" und dem „Berliner Tageblatt". Bis 1933, als seine Bücher verboten und verbrannt wurden, hatte er sich auch als Schriftsteller schon einen Namen gemacht. Er publizierte jetzt im Ausland. Nach dem 2. Weltkrieg lebte Erich Kästner in München, wo er am 29. 7. 1974 starb. 1952 wurde er Präsident des deutschen PEN Zentrums. Sein Werk, einer breiten Leserschicht vertraut durch so bekannte, auch verfilmte Titel, wie „Das doppelte Lottchen", wurde durch bedeutende Preise ausgezeichnet, so 1960 mit dem internationalen Jugendbuchpreis.

Kurt Tucholsky: *Großstadt-Weihnachten*
Aus „Kurt Tucholsky, Gesammelte Werke Bd I", (c) Rowohlt Verlag GmbH, Reinbeck bei Hamburg, 1960, mit freundlicher Genehmigung des Verlages.
Kurt Tucholsky wurde am 9. 1. 1890 als Sohn eines Kaufmanns in Berlin geboren, wo er auch das Gymnasium besuchte und dann dort, später in Jena und Genf Jura studierte. Nach dem ersten Weltkrieg, an dem er als Soldat teilnahm, lebte er zunächst als Korrespondent in Berlin, später vorwiegend in Paris und ab 1929 in Schweden. Von 1913–1932 war er Mitarbeiter der „Weltbühne", zeitweilig ihr Chefredakteur. 1933 wurde er ausgebürgert und seine Bücher wurden verbrannt. Kurt Tucholsky nahm sich am 21. 12. 1935 das Leben. Er wurde in Mariefred bei Schloß Gripsholm begraben. Er war ein gefürchteter und bekannter Satiriker und Zeitkritiker. Mit Erich Kästner gemeinsam schuf er das moderne Großstadtchanson.

E(rnst) Kossak: *„Der Weihnachtsabend"*
Aus „Berliner Silhouetten", Verlag von Otto Janke, Berlin 1859.
Dr. Ernst Kossak war Journalist. Er schrieb u. a. die „Berliner Chronik" für die „Allgemeine Illustrierte Zeitschrift, Über Land und Meer" herausgeg. von F. W. Hackländer, die in Stuttgart erschien. Ernst Kossak starb Ende 1892 in Berlin.

Clara Viebig: *Unser täglich Brot gib uns heute*
Aus „Das tägliche Brot", Deutsche Verlags-Anstalt, Stuttgart, Berlin und Leipzig, 1929, mit freundlicher Genehmigung von Herrn Fritz Kretschmer, Berlin.

Clara Viebig wurde am 17. 7. 1860 als Tochter eines Oberregierungsrates in Trier geboren. Ihre Jugend verbrachte sie in Düsseldorf und Westpreußen. 1883 kam sie nach Berlin, wo sie an der Musikhochschule Gesang studierte. 1896 heiratet sie den Verlagsbuchhändler Fritz Th. Cohn. Während des 2. Weltkrieges lebte sie in Schlesien, danach bis zu ihrem Tode am 31. 7. 1952 in Berlin-Zehlendorf. Clara Viebig galt als eine der führenden Erzählerinnen des deutschen Naturalismus. Sie schrieb eine Reihe sozialkritischer Berliner Romane.

Ruth Hoffmann: *Die Armseligste und der Goldfaden*
Aus „Die Zeitenspindel", Paul List Verlag, Leipzig 1949, mit freundlicher Genehmigung des J. F. Steinkopf Verlages, Stuttgart.
Ruth Hoffmann wurde am 19. 7. 1893 in Breslau geboren, besuchte die Frauenschule in Weimar und wurde nach dem Besuch der Kunstakademie in Breslau Malerin und Graphikerin. 1929 heiratete sie in Berlin Ernst Scheye. Weil ihr Mann jüdischer Abstammung war, erhielt sie 1936 Schreibverbot. Sie starb am 10. 5. 1974 in Berlin. Die beherrschenden Themen ihres Werkes sind zum einen die Liebe zu ihrer schlesischen Heimat, zum anderen gelten sie dem Gedenken an ihren 1943 in Auschwitz umgekommenen Mann. In „Meine Freunde aus Davids Geschlecht" erzählt sie vom Leben der Breslauer und Berliner Juden.

Paula Dehmel: *„St. Niklas' Auszug"* (Gedicht) und *„Weihnachten in der Speisekammer"*
„St. Niklas Auszug" aus „Ernst und Frohsinn"; „Weihnachten in der Speisekammer" aus „Das grüne Haus", Verlag Hermann Schaffstein, Köln, o. J., mit freundlicher Genehmigung des Verlages Hermann Schaffstein, Dortmund.
Paula Dehmel, geb. Oppenheimer, wurde am 31. 10. 1862 als Tochter eines Predigers der jüdischen Reformgemeinde in Berlin geboren. Von 1889–1898 war sie mit Richard Dehmel verheiratet. Nach der Trennung lebte sie mit ihren drei Kindern weiterhin in Berlin, wo sie am 9. 7. 1918 starb. Ihre Kinderbücher gab sie zum Teil mit Richard Dehmel gemeinsam heraus. Ihr Berliner Heim war Mittelpunkt eines wechselnden Kreises von Schriftstellern. 1955 wurde in Berlin eine Schule in der Strehlitzer Straße nach ihr benannt.

Hanns Fechner: *Ein Weihnachtsmärchen aus dem alten Berlin*
Aus „Mein liebes altes Berlin, neue Spreehannsgeschichten", Rembrandt-Verlag, Berlin-Zehlendorf 1926, mit freundlicher Genehmigung des Rembrandt-Verlags, Berlin.
Hanns Fechner wurde am 7. 6. 1860 als Sohn eines Malers in Berlin geboren. Von 1877–1883 besuchte er die Berliner Kunstakademie und bildete sich dann in München weiter. Danach lebte er in Berlin als Bildnismaler und bekam den Professoren-Titel zuerkannt. Er malte u. a. Wilhelm Raabe, Theodor Fontane und Kaiser Wilhelm II. In den beiden autobiographischen Bänden „Spreehanns" und „Mein liebes altes Berlin" kommt die Liebe zu seiner Heimatstadt zum Ausdruck. Hanns Fechner starb am 30. 11. 1931 in Mittel-Schreiberhau.

Gretel Selig: *Der Weihnachtskasper*
Aus „Weihnacht", Eekboom Verlag, Fritz Albrecht Kröppelin, Hamburg 1962.

Altes Berliner Kinderliedchen: *Morgen Kinder, wird's was geben*
Aus „Weihnachtslieder nach Noten", Verlag Deutsche Jugendbücherei GmbH (Hillgers Deutsche Bücherei) Nr. 535, Berlin, Grunewald o. J.
Es scheint schwierig, den Verfasser eindeutig zu bestimmen. In einem Beitrag „Deutsche Weihnachtslyrik" von Frida Schanz in Velhagen & Klasings „Weihnachtsalmanach" von 1897 wird bei dem Lied kein Verfasser genannt. Es heißt dazu „Eine Menge der traulichen, beschaulichen Familienweihnachtslieder verdanken wir den gemütlichen, bürgerlich einfachen Weihnachtsfeiern dieser Zeit . . ." In „Deutsche Weihnachten", verlegt und herausgegeben von Hermann Adolf Wiechmann, München 1924, wird C. F. Splittgerber 1795 benannt, der Musikverlag Hans Sikorski, Hamburg, gibt in „Unsere Weihnachtslieder" (o. J.) K. F. Splittegarb als Textdichter an. (Karl Friedrich Splittegarb wurde 1753 in Mittel-Steinkirch bei Greiffenberg geboren und starb 1802 in Berlin). Hermann Kügler schreibt in der Niederdeutschen Zeitschrift für Volkskunde 1930 „Als Verfasser gilt der Berliner Schulvorsteher Martin Philipp Bartsch († 1833)". Dühmert „Von wem ist das Gedicht?", Verlag Haude & Spenersche Verlagsbuchhandlung Berlin, 1969, nennt als Verfasser Barsch, im Verfasserregister vermutlich als Martin Friedrich Philipp Bartsch (1770–1835) angeführt, den „Westermanns Weihnachtsbuch" ebenfalls als Verfasser des Liedes benennt.

Wilhelm Schmidtbonn: *Ein Weihnachtsbäumchen fingerhoch*
Aus „Stille Nacht", Verlag Butzon und Bercker, Kevelaer 1954, mit freundlicher Genehmigung des Verlags.
Wilhelm Schmidtbonn (eigentlich Schmidt) wurde am 6. 2. 1876 in Bonn als Sohn eines Kaufmanns geboren. Anfangs zum Musiker ausgebildet, studierte er später Philosophie und Literatur in Bonn, Berlin, Göttingen und Zürich, war Buchhändler in Gießen, Dramaturg am Stadttheater in Düsseldorf, dann freier Schriftsteller in Bayern und Norddeutschland, zuletzt in Bonn und Bad Godesberg, wo er am 3. 7. 1952 starb.

Paul Enderling: *Bohème-Weihnacht*
Aus „Das Weihnachtsbuch", Hugo Schmidt Verlag, München 1918, mit freundlicher Genehmigung des Verlages Karl Thiemig AG, München.
Paul Enderling wurde am 22. 4. 1880 in Danzig geboren. Er schrieb Romane und Novellen. Paul Enderling starb am 16. 1. 1938 in Stuttgart.

Richard Klaus: *Schöppke oder das Salz des Lebens*
Aus „Die Stimme in der Weihnacht. Eine Sammlung neuer Geschichten", Lutherisches Verlagshaus Hamburg, 1978, mit freundlicher Genehmigung des Autors und des Verlages.
Richard Klaus wurde 1924 in Halberstadt geboren. Er schreibt Romane

und Erzählungen. Durch eine Lähmung ist er Vollinvalide. Heute lebt er in Berlin.

Paul Gerhardt: *Ich steh an deiner Krippen hier* (Lied)
Aus „Deutsche Weihnachtslieder. Eine Festgabe von Karl Simrock“. Unveränderter Nachdruck der Ausgabe von 1865.
Paul Gerhardt wurde am 12. 3. 1607 in Gräfenhainchen in Sachsen als Sohn eines Gastwirts und Bürgermeisters geboren. Von 1622–1627 besuchte er die Fürstenschule in Grimma, anschließend studierte er Theologie in Wittenberg. Von 1642–1651 war er als Hauslehrer tätig, u. a. beim Kammergerichtsadvokaten A. Barthold in Berlin, deren Tochter er später heiratete. Nach fast zweijähriger Tätigkeit als Pfarrer in Mittenwalde in der Mark Brandenburg wurde er Diakonus an der Nikolaikirche in Berlin, verlor das Amt jedoch 1666, weil er sich weigerte, das Toleranzedikt des Großen Kurfürsten zu unterschreiben. Er war daraufhin zwei Jahre Privatlehrer in Berlin und wurde 1669 Archidiakonus in Lübben an der Spree, wo er am 27. 5. 1676 starb. Sein Liedgut, mit so bekannten Liedern wie „Nun ruhen alle Wälder“, „Befiehl du deine Wege“ und „Geh aus mein Herz und suche Freud“, gehört zu dem Wertvollsten des evangelischen Gesangbuches.

Adelheid Mommsen: *Weihnachten bei Theodor Mommsen*
Aus „Theodor Mommsen im Kreise der Seinen; Erinnerungen seiner Tochter Adelheid Mommsen“, Verlag Dr. Emil Ebering, Berlin 1937, mit freundlicher Genehmigung von Herrn Dr. Wolfgang Mommsen, Koblenz.
Adelheid Mommsen wurde am 7. 1. 1869 als 10. Kind des Historikers und Literaturnobelpreisträgers Theodor Mommsen in Berlin geboren. Sie war später Inhaberin einer Privatschule in Berlin-Charlottenburg für höhere Töchter. 1936/37 wurde die Schule wie alle Privatschulen geschlossen. 1943 ausgebombt, ging sie in die Mark Brandenburg, wo sie am 12. 10. 1953 in Eberswalde starb.

Hans Fallada: *Weihnachten bei uns daheim*
Aus „Damals bei uns daheim“, Rowohlt Verlag, Reinbek bei Hamburg, 1955, mit freundlicher Genehmigung von Frau Emma D. Hey, Braunschweig.
Hans Fallada – sein eigentlicher Name lautet Rudolf Ditzen – wurde am 21. 7. 1893 als Sohn eines Landrichters in Greifswald geboren. Er studierte Landwirtschaft und war zeitweilig als Wirtschaftsinspektor tätig. Er übte dann verschiedene Berufe aus und wurde schließlich Journalist, dann freier Schriftsteller in Berlin. 1930 erwarb er den Landsitz Carwitz in Mecklenburg, den er mit seiner Familie bearbeitete. 1945 kehrte er nach Berlin zurück, wo er am 5. 2. 1947 nach schwerer Krankheit an einer Überdosis an Betäubungsmitteln starb. Er war ein bedeutender Milieuschilderer der kleinen Leute und deren wirtschaftlichen, sozialen und moralischen Probleme der Zeit nach dem Ersten Weltkrieg. Mit einer Reihe seiner Werke wie „Bauern, Bonzen, Bomben“, „Kleiner Mann, was nun?“, „Wer einmal aus dem Blechnapf fraß“ –

um nur einige zu nennen – und seinen Erinnerungen „Damals bei uns daheim“ und „Heute bei uns zu Hause“ hatte er einen Riesenerfolg.

Hans Nicklisch: *„Der schönste Weihnachtsbaum“*
Aus „Nicklisch, Vater unser bestes Stück“, alle Rechte bei Blanvalet Verlag GmbH, München, mit freundlicher Genehmigung der Verlagsgruppe Bertelsmann und des Autors.
Hans Nicklisch wurde am 21. 3. 1912 in Mannheim als Sohn eines Professors der Betriebswirtschaftslehre geboren. 1921 übersiedelte die Familie nach Berlin. Er ging bei Peter Suhrkamp, damals Deutschlehrer, später Verleger, in die Schule und war danach Regieassistent bei Karl Heinz Stroux. Bekannt wurde er als Schrifsteller durch seine von köstlichem Humor getragenen Romane, die in mehrere Sprachen übersetzt, teilweise verfilmt wurden, wie z.B. „Vater unser bestes Stück“ und „Ohne Mutter geht es nicht“. Hans Nicklisch lebt in Berlin.

Alfred Braun: *Weihnachtliche Impressionen*
Aus „Der Spreekieker“, Kap. „Weihnachten“ (gekürzt), Lettner Verlag, Berlin, mit freundlicher Genehmigung von Frau Friedl Braun, Schweinfurt.
Alfred Braun wurde am 3. 5. 1888 in Berlin geboren. Er erhielt eine Bühnenausbildung, war dann beim Rundfunk tätig als Sprecher, Reporter, Regisseur und Programmleiter. 1933 emigrierte er vorübergehend in die Schweiz und in die Türkei, wo er Leiter und Professor einer türkischen Akademie war. Später war er dann wieder in Berlin tätig als Regieassistent und Filmregisseur und von 1954–1958 Intendant und Programmdirektor. Alfred Braun starb am 3. 1. 1978 in Berlin.

Georg Hermann: *Der brennende Baum*
Aus „Die Reise nach Massow“, Verlag Das Neue Berlin, DDR, 1973, mit freundlicher Genehmigung des Verlages und von Frau Hilde Villum Hansen, Kopenhagen.
Georg Hermann, eigentlich Georg Hermann Borchardt, wurde am 7. 10. 1871 in Berlin-Friedenau geboren. Er studierte und wurde Kunstkritiker. Bekannt wurde er durch den Roman „Jettchen Gebert“. Er schildert darin das Leben der Juden in Berlin der Biedermeierzeit. Georg Hermann starb am 19. 11. 1943 im KZ Birkenau.

Jochen Klepper: *Neujahrslied*
Aus „Kyrie“, Luther-Verlag Witten, mit freundlicher Genehmigung des Luther-Verlages, Bielefeld.
Jochen Klepper wurde am 22. 3. 1903 als Sohn eines Pfarrers in Beuthen geboren. Er studierte Theologie und arbeitete dann bei Presse und Rundfunk zunächst in Breslau, später in Berlin. Am 11. 12. 1942 schied er mit seiner jüdischen Frau und deren Tochter in Berlin freiwillig aus dem Leben. Von seinen geistlichen Liedern, zusammengefaßt im Band „Kyrie“, fand ein Teil Eingang in das evangelische Gesangbuch. In seinem historischen Roman „Der Vater“ stellt er ein Herrscheramt dar unter dem Anspruch biblischer Offenbarung.

Inhaltsverzeichnis

Regionalia im HUSUM TASCHEN BUCH

Anekdoten aus Baden-Württemberg · aus Bayern · aus Berlin · aus Hamburg · aus Hessen · aus Mecklenburg-Vorpommern · aus Niedersachsen · aus Ostpreußen · aus Pommern · aus Sachsen · aus Schlesien · aus Schleswig-Holstein 1 · aus Schleswig-Holstein 2 · aus Westfalen · vom Militär – **Entdecken und erleben (Reiseführer):** Mecklenburg-Vorpommerns Kunst · Niedersachsens Kunst · Niedersachsens Literatur · Ostpreußens Literatur · Schleswig-Holsteins Geschichte · Schleswig-Holsteins Kunst · Schleswig-Holsteins Literatur – Berlin im **Gedicht** – Schlesische **Kinderreime – Kinder- und Jugendspiele** aus Schleswig-Holstein 1 · aus Schleswig-Holstein 2 · aus Schleswig-Holstein 3 · aus Westfalen – **Kindheitserinnerungen** aus Berlin · aus Hamburg · vom Niederrhein · aus Oberschlesien · aus Ostpreußen · aus Pommern · aus Sachsen · aus Schlesien · aus Schleswig-Holstein · aus Westfalen – **Komponisten** aus Schleswig-Holstein – **Krippengeschichten** aus Deutschland – **Legenden** der kanadischen Indianer – **Lügengeschichten** aus Schleswig-Holstein – **Märchen** aus Baden-Württemberg · aus Mecklenburg · aus Niedersachsen · aus Schleswig-Holstein · aus Westfalen – **Redensarten** aus Hessen – **Aus dem Sagenschatz** der Brandenburger und Schlesier · der Hessen · der Niedersachsen und Westfalen · der Ostpreußen und Pommern · der Sachsen · der Schleswig-Holsteiner und Mecklenburger · der Schwaben · der Thüringer – **Volkssagen** aus Niedersachsen – **Sagen** aus Baden-Württemberg · aus Franken · aus Hamburg · aus Mecklenburg · aus Schlesien · aus Schleswig-Holstein · aus Südtirol · aus Westfalen – **Schulerinnerungen** aus Franken · aus Hamburg · aus Mecklenburg · aus Niedersachsen · aus Ostpreußen · aus Schleswig-Holstein – **Schwänke** aus Bayern · aus Franken · aus Niedersachsen · aus Schwaben · aus Schleswig-Holstein – **Sprichwörter** aus Hessen · **Sprichwörter und Redensarten** aus Mecklenburg · aus Schleswig-Holstein – **Plattdeutsche Sprichwörter** aus Niedersachsen – **Weihnachtsgeschichten** aus Baden · aus Bayern · aus Berlin · aus Brandenburg · aus Bremen · aus Franken · aus Hamburg · aus Hessen · aus Köln · aus Mecklenburg · aus München · vom Niederrhein · aus Niedersachsen · aus Oberschlesien · aus Ostpreußen · aus Pommern · aus dem Rheinland und der Pfalz · aus Sachsen · aus Schlesien · aus Schleswig-Holstein 1 · aus Schleswig-Holstein 2 · aus Schwaben · aus dem Sudetenland · aus Thüringen · aus Westfalen · aus Württemberg – **Weihnachtsmärchen und Weihnachtssagen** aus Schleswig-Holstein – **Witze** aus Hamburg · aus Mecklenburg · aus Ostpreußen · aus Pommern · aus Sachsen · aus Schleswig-Holstein